ALL YOU NEED TO PLAY 21 BARENAKE

Barenaked

CHORD SONGBOOK

International MUSIC Publications

International Music Publications Limited
Griffin House 161 Hammersmith Road London W6 8BS England

Series Editors: Sadie Cook and Ulf Klenfeldt

Music Editorial & Project Management: Artemis Music Limited

Photos: Front and back cover plus page 1: Steve Jennings

Pages 15, 28 and 84: J. Blakesburg

Design and production: Space DPS Limited

Published 2000

International
MUSIC
Publications

Exclusive Distributors

International Music Publications Limited

England: Griffin House
161 Hammersmith Road
London W6 8BS

Germany: Marstallstr. 8
D-80539 München

Denmark: Danmusik
Vognmagergäde 7
DK1120 Copenhagen K

WARNER BROS. PUBLICATIONS U.S. INC.

USA: 15800 N.W. 48th Avenue
Miami, Florida 33014

Italy: Nuova Carisch Srl
Via Campania 12
20098 San Giuliano Milanese
Milano

Spain: Nueva Carisch España
Magallanes 25
28015 Madrid

France: Carisch Musicom
25 Rue d'Hautville
75010 Paris

Australia: 3 Talavera Road
North Ryde
New South Wales 2113

Scandinavia: P.O. Box 533
Vendevagen 85 B
S-182 15 Danderyd
Sweden

Barenaked Ladies

Playing Guide

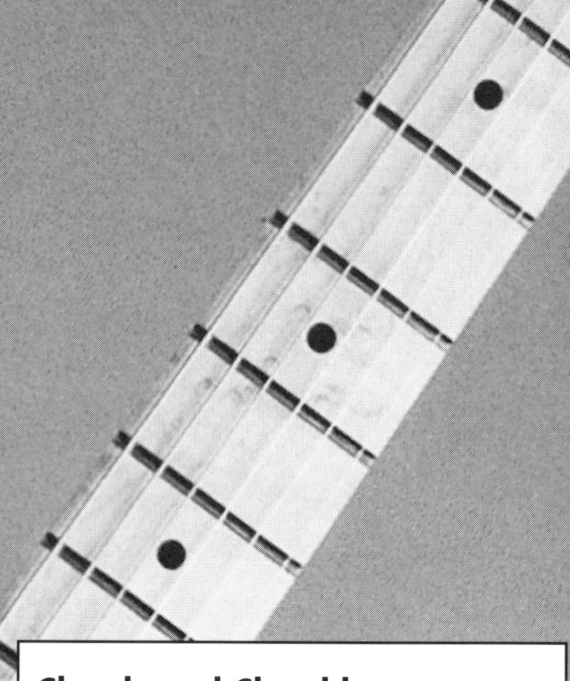

Tuning Your Guitar

To enjoy this book to the full, you have to ensure that your guitar is in tune.

There are many different methods of tuning your guitar. One of the most common is relative tuning. This is how it works.

Tune the low (thick) E-string to a comfortable pitch, fret the string at the 5th fret and then play it together with the A-string. Adjust the A-string until both strings have the same pitch. Repeat this procedure for the rest of the strings as follows:

5th fret A-string to open D-string
5th fret D-string to open G-string
4th fret G-string to open B-string
5th fret B-string to open E-string

After a little practise, you will be able to do this in a matter of minutes.

Chords and Chord boxes

Chords consist of several notes played together and are the basis for accompanying songs.

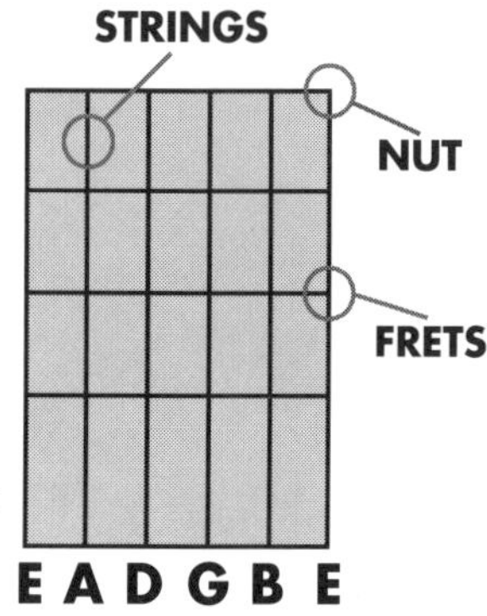

A chord box is simply a diagram showing a portion of the guitar neck. The horizontal lines illustrate the frets (the top line indicates the nut) and the vertical lines illustrate the strings, starting with the thickest string (low E) on the left. A fret number next to the chord box indicates that the chord should be played in that position, higher up on the neck.

The black dots indicate where to place your fingers on the fretboard. An 'O' instructs you to play the string open and an 'X' indicates that the string should not be played.

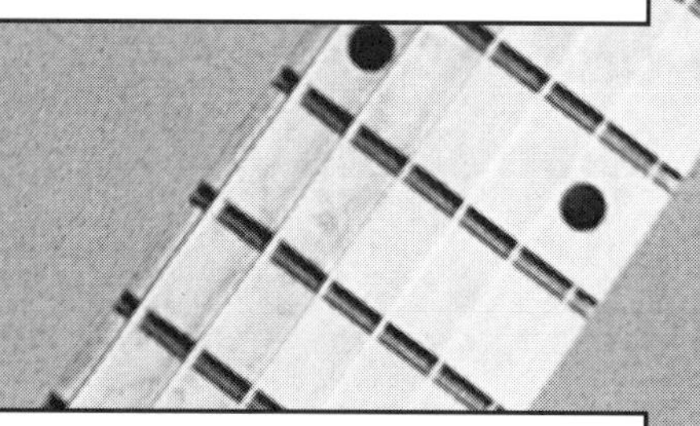

Basic Playing Techniques

Most guitarists use a pick to strum and pluck the strings. You could use your fingers, but they tend to wear out more quickly than a pick! There are no rules as to how to hold a pick - if it's comfortable, it's right for you.

You can use upstrokes, downstrokes or both. The most common is a combination of the two, alternating up and downstrokes. Ensure that you maintain an even, steady tempo when you strum your chords.

Most importantly... have fun!

Alcohol

Words and Music by
STEPHEN DUFFY AND STEVEN PAGE

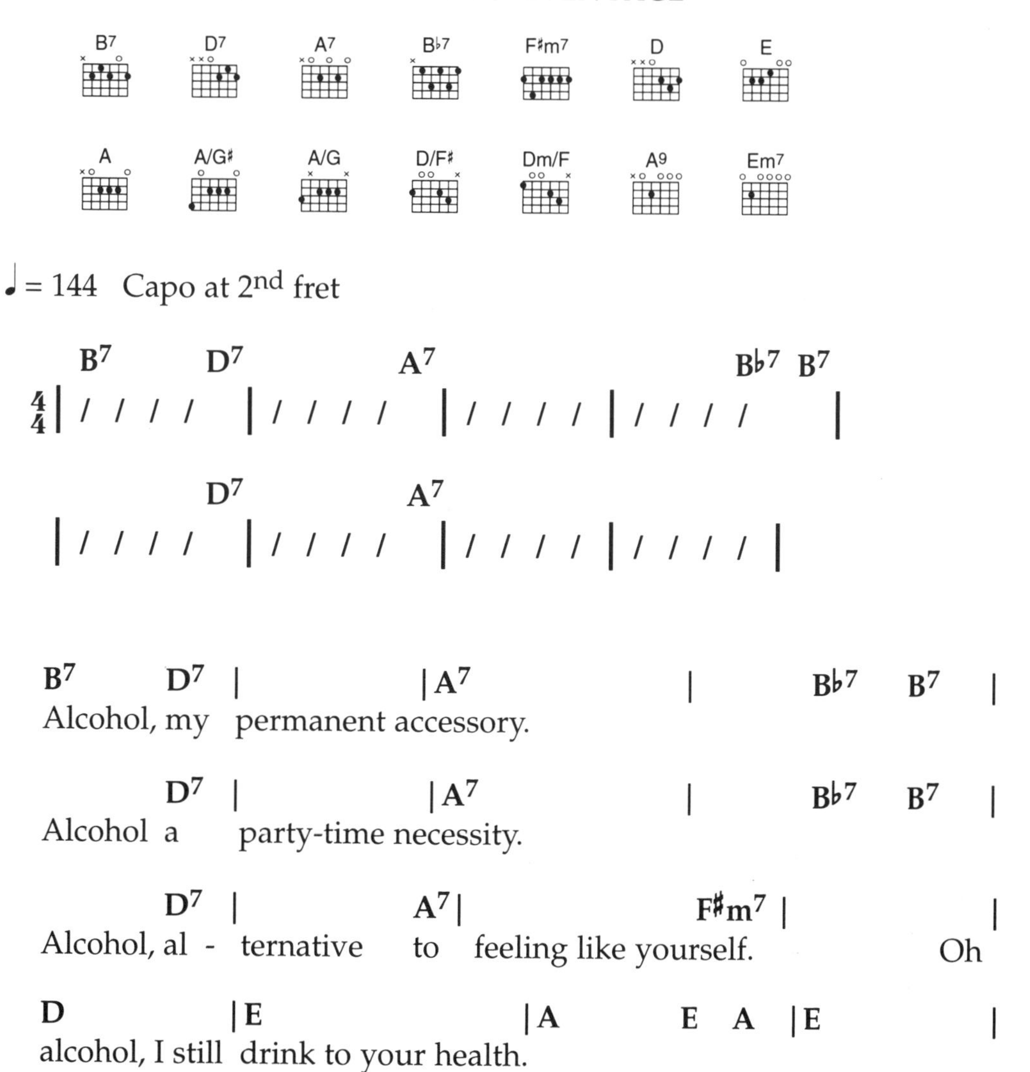

Chorus 1

| A | E | F♯m7 A7 B♭7 B7 | |
I love you more than I did the week before

| D | A | E | |
I discovered alcohol. For

Verse 2

B7 D7 | | A7 | B♭7 B7 |
get the caffe latte, screw the raspberry iced tea. A

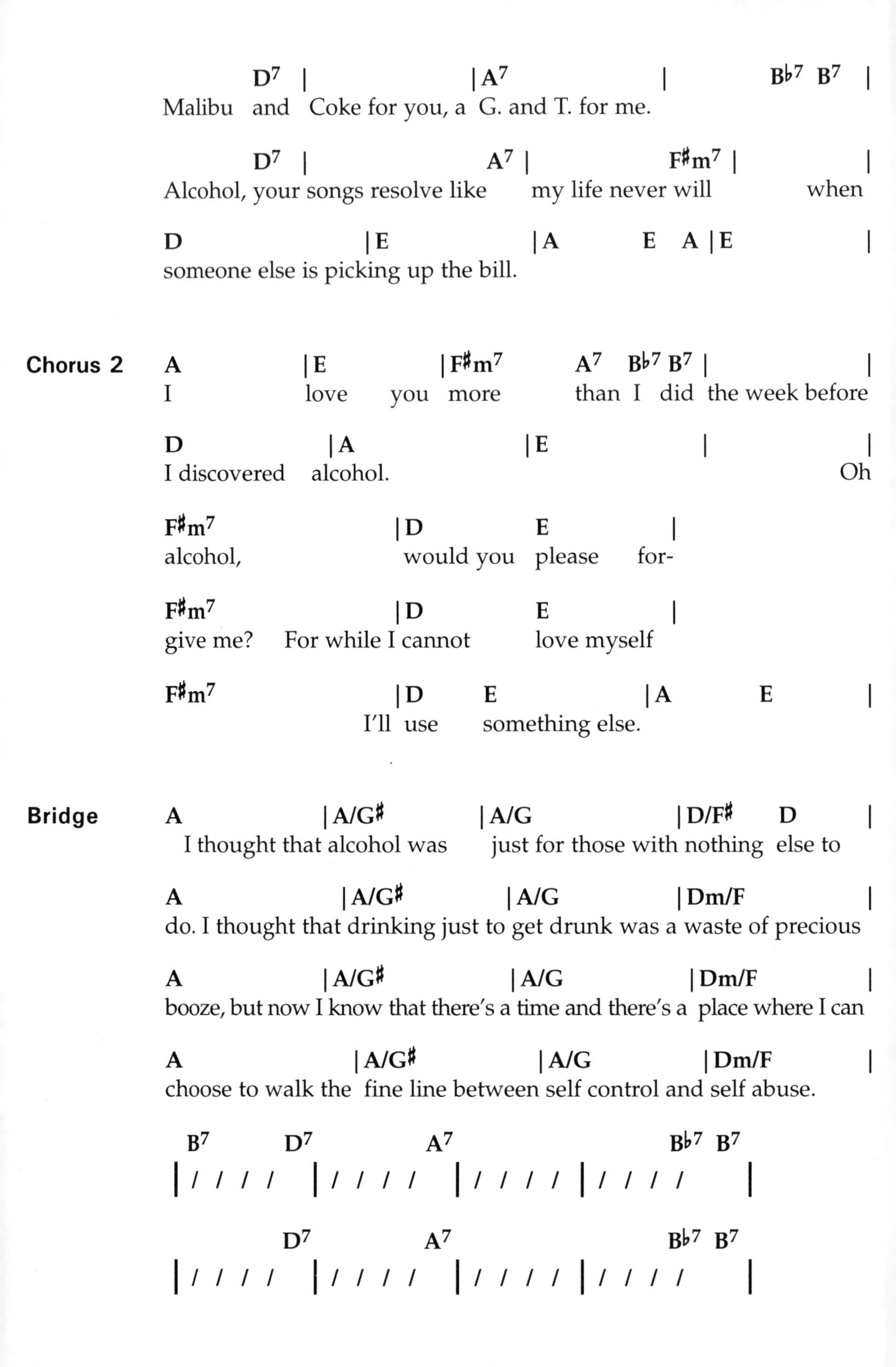
D7 | |A7 | Bb7 B7 |
Malibu and Coke for you, a G. and T. for me.
D7 | A7 | F#m7 | |
Alcohol, your songs resolve like my life never will when
D |E |A E A |E |
someone else is picking up the bill.
Chorus 2
A |E |F#m7 A7 Bb7 B7 | |
I love you more than I did the week before
D |A |E | |
I discovered alcohol. Oh
F#m7 |D E |
alcohol, would you please for-
F#m7 |D E |
give me? For while I cannot love myself
F#m7 |D E |A E |
I'll use something else.
Bridge
A |A/G# |A/G |D/F# D |
I thought that alcohol was just for those with nothing else to
A |A/G# |A/G |Dm/F |
do. I thought that drinking just to get drunk was a waste of precious
A |A/G# |A/G |Dm/F |
booze, but now I know that there's a time and there's a place where I can
A |A/G# |A/G |Dm/F |
choose to walk the fine line between self control and self abuse.
B7 D7 A7 Bb7 B7
|/ / / / |/ / / / |/ / / / |/ / / / |
D7 A7 Bb7 B7
|/ / / / |/ / / / |/ / / / |/ / / / |

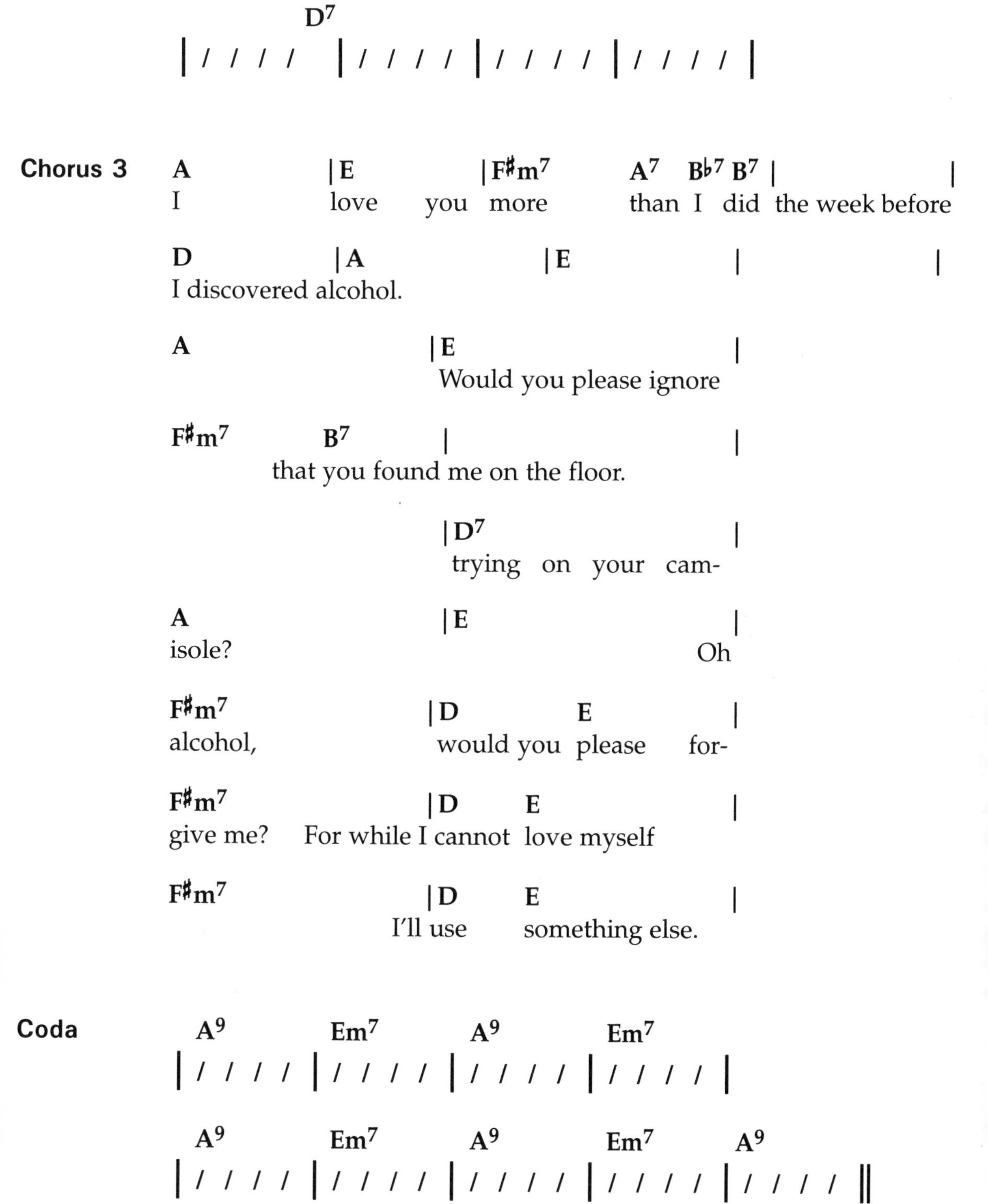
D7
Chorus 3
A | E | F#m7 A7 Bb7 B7 | |
I love you more than I did the week before
D | A | E | |
I discovered alcohol.
A | E |
Would you please ignore
F#m7 B7 | |
that you found me on the floor.
| D7 |
trying on your cam-
A | E |
isole? Oh
F#m7 | D E |
alcohol, would you please for-
F#m7 | D E |
give me? For while I cannot love myself
F#m7 | D E |
I'll use something else.
Coda
A9 Em7 A9 Em7
A9 Em7 A9 Em7 A9

Brian Wilson

Words and Music by
STEVEN PAGE

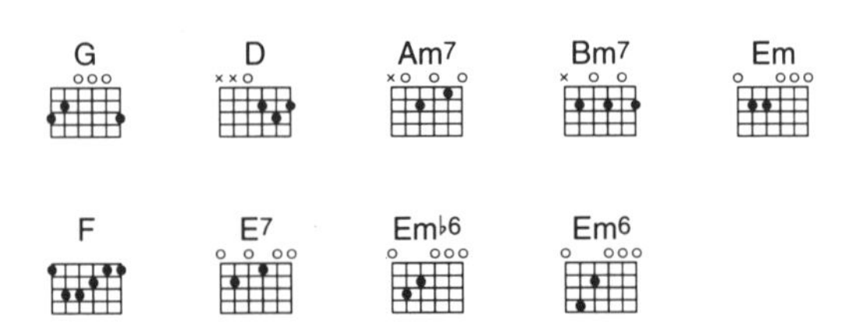

♩ = 150 Capo at 3rd fret

Verse 1 4/4

G |D |Am7 | |
Drove downtown in the rain, nine thirty on a Tuesday

G |D |Bm7 |Am7 |
night just to check out the late night record shop.

G |D |Am7 | |
Call it impulsive, call it compulsive, call it insane;

G |D |Bm7 |Am7 |
but when I'm surrounded I just can't stop.

Verse 2

G |D |Am7 | |
It's a matter of instinct, it's a matter of conditioning, a matter of fact.

G |D |Bm7 |Am7 |
You can call me Pavlov's dog.

G |D |Am7 | |
Ring a bell and I'll salivate how'd you like that?

G |D |Bm7 |Am7 |
Doctor Landy, tell me you're not just a pedagogue, 'cause right now I am

Chorus 1

G |D |Am7 | |
lying in bed just like Brian Wilson did. Well I'm

G |D |Em | |
I'm lying in bed just like Brian Wilson did,

| | | | | |
whoah.

Verse 3

G |D |Am^7 | |
So I'm a-lying here just staring at the ceiling

G |D |Bm^7 |Am^7 |
tiles, and I'm thinking'bout Oh what to think about.

G |D |Am^7 | |
Just list'ning and relist'ning to Smiley

G |D |Bm^7 |Am^7 |
Smile and I'm a-wond'ring if this is some kind of creative drought because

Chorus 2

G |D |Am^7 | |
lying in bed just like Brian Wilson did. Well I'm

G |D |Em | |
I'm lying in bed just like Brian Wilson did,

| | | | | |
whoah.

Bridge

Am^7 |D |F |Em |
And if you want to find me I'll be out in the sandbox

Am^7 |D |G |F |
Just wond'ring where the hell all the love has gone.

Am^7 |D |F |Em |
I'm playing my guitar and building castles in the sun, woah woah woah

Am^7 |D |
and singing 'Fun, fun, fun'.

Chorus 3

```
G               |D                      |Am7          |              |
lying in bed          just like Brian Wilson did.          Well I'm

G                  |D                    |Em          |              |
I'm lying in bed just like Brian Wilson did,

           |           |           |           |           |           |
whoah.
```

Interlude

```
Am7               |E7               |Am7                 |E7                      |
          I had          a dream           that I was three hundred pounds,

Am7               |E7                 |Am7               |E7                      |
   and though I was very heavy             I floated 'til I couldn't see the

Am7              |E7              |Am7                    |E7                     |
ground. I floated 'til I couldn't see the ground, woah.                  Some

Am7               |E7                          |
body help me, I couldn't see the ground. Some

Am7               |E7                          |
body help me, couldn't see the ground.   Some

Am7               |E7                    |                   |
body help me,                                  because I'm
```

Chorus 4

```
G               |D                      |Am7          |              |
lying in bed          just like Brian Wilson did.          Well I'm

G                  |D                     |Em         |              |
I'm lying in bed just like Brian Wilson did,

                  |                |
ooh                yeah.
```

Verse 4

```
G               |D                    |Am7                  |                    |
Drove downtown in the rain,          nine thirty on a Tuesday

G                    |D                      |Bm7               |Am7               |
night just to check out the late night record shop.
```

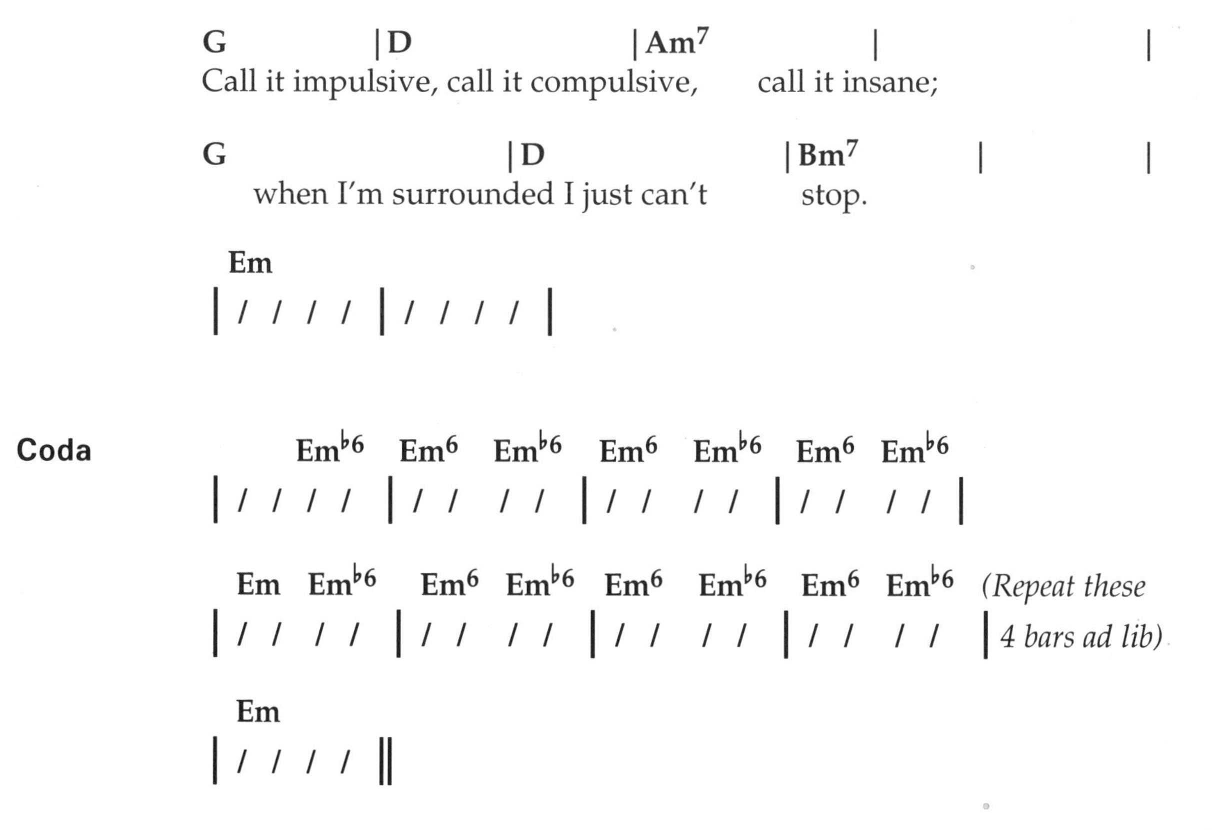
G |D |Am7 | |
Call it impulsive, call it compulsive, call it insane;
G |D |Bm7 | |
when I'm surrounded I just can't stop.
Em
| / / / / | / / / / |
Coda
Em♭6 Em6 Em♭6 Em6 Em♭6 Em6 Em♭6
| / / / / | / / / / | / / / / | / / / / |
Em Em♭6 Em6 Em♭6 Em6 Em♭6 Em6 Em♭6
| / / / / | / / / / | / / / / | / / / / |
(Repeat these 4 bars ad lib)
Em
| / / / / ||

Be My Yoko Ono

Words and Music by
STEVEN PAGE AND ED ROBERTSON

C E E7 F G Am7

C/E G/D Em C/G Em/G Dm/G

♩ = 240 Capo at 5th fret

Intro

```
    C           E    E7     F          G
4/4 | / / / /  | / /  / /  | / / / /  | / / / / |

    C           E    E7     F          G
    | / / / /  | / /  / /  | / / / /  | / / / / |
```

Verse 1

```
C              |E        E7      |F           |G            |
And if there's someone you can live without,       then do

C              |E     E7         |F           |G            |
so.

C              |E        E7      |F               |G            |
And if there's someone you can just shove out,          well do

C              |E     E7         |F           |G            |
so.
```

Chorus 1

```
C              |E       E7     |F           |G              |
   You can be my        Yoko O-no.

C              |E       E7        |F          |G            |
   You can follow       me wherever I go.

C              |E    E7          |F          |G             |
   Be my, be my,     be my, be my, Yoko O-no,        woah,

C              |E        E7      |F           |G            |
woah.
```

Verse 2

C | E E^7 | F | G |
Oh, isn't it beautiful to see two people so much in

C | E E^7 | F | G |
love?

C | E E^7 | F | G |
Barenaked as two virgins hand in hand and and and hand in

C | E E^7 | F | G |
glove.

Verse 3

C | E E^7 | F | G |
But now that I'm far away it doesn't seem to me to be such a pain.

C E E^7 F G
| / / / / | / / / / | / / / / | / / / / |

C | E E^7 | F | G |
To have you hanging off my ankle like some kind of ball and

C | E E^7 | F | G |
chain.

Chorus 2

C | E E^7 | F | G |
You can be my Yoko O-no.

C | E E^7 | F | G |
You can follow me wherever I go.

C | E E^7 | F | G | |
Be my, be my, be my, be my, Yoko be my Yoko Ono.

G | C | Am^7 | F |
Here we go, our life is just one big pun. Oh no,

G | C | E^7 | |
here we go , as Yoko sings 'A - iee!'

Verse 4

C | E E^7 | F | G |
I know that when I say this, I may be stepping on pins and nee-

```
C              |E     E7        |F           |G          |
dles;                                                 but

C              |E       E7    |F                  |G        |
I don't like    all these   people   slagging her for   breaking up the

C              |E     E7        |F                |G        |
Beatles.                         Don't blame it onYokey. I mean if
```

Verse 5

```
C                |E        E7  |F              |G              |
I was John and you were Yoko, I would gladly give up musical gen-

C              |E     E7        |F           |G          |
ius.

C                 |E     E7     |F               |G             |
    Just to have you    as my    very own                 personal

C              |E     E7        |F           |G          |
Venus.
```

Chorus 3

```
C              |E       E7    |F             |G            |
  You can be my       Yoko O-no.

C              |E       E7      |F           |G          |
  You can follow      me wherever I go.

C              |E    E7         |F           |G          |
   Be my, be my,   be my, be my, Yoko O-no,         woah.

C              |E        E7      |F      C/E    |G/D         |
Ooh            ooh                ooh            ooh.      Be-
```

Coda

```
C               |E    E7          |F             |G          |
my ,be my, be my,   be my, be  my, Yoko O-no, woah.     Be

C               |E    E7          |F             |G          |
my ,be my, be my,   be my, be  my, Yoko O-no, woah.     Be

C               |E  E7        |F       Em |C/G  G  Em/G  Dm/G |
my ,be my, be my, be my, be my, Yoko      O  - no, woah,

G                  ||
woah.
```

Grade 9

Words and Music by
ANDY CREEGGAN, JIM CREEGGAN, STEVEN PAGE,
ED ROBERTSON AND TYLER STEWART

B A F♯ E

♩ = 176

Intro

```
    B         A         B         A
4/4| / / / / | / / / / | / / / / | / / / / |

    B         A         B         A
   | / / / / | / / / / | / / / / | / / / / |
```

Verse 1

```
N.C.                           |                    |
I found my locker     and I found my classes.

                            |                       |
Lost my lunch      and I broke my glasses.

                            |                       |
That guy is huge!      That girl is wailin'

F♯                          |E                      |
First day of school     and I'm already failing.
```

Chorus 1

```
B              A    |                |
This is me in      grade nine, baby

B                  A |               |
this is me in grade     nine.

B              A    |                |
This is me in      grade nine, baby

B                  A |               |
this is me in grade     nine.    I've got a
```

Verse 2

B A | |
blue and red Adidas bag and humungous binder.

B A | |
I'm trying my best not to look like a minor niner.

B A | |
I went out for the football team to prove that I'm a man;

F♯ | E |
I guess I shouldn't tell them that I like Duran Duran.

Chorus 2

B A | |
This is me in grade nine, baby

B A | |
this is me in grade nine.

B A | |
This is me in grade nine, baby

B A | |
this is me in grade nine. Well

Verse 3

B A | |
half my friends are crazy and the others are depressed,

B A | |
and one of them can help me study for my math test.

B A | |
I got into the classroom and my knowledge was gone;

F♯ | E |
I guess I should've studied instead of watching Wrath of Khan.

Chorus 3

B A | |
This is me in grade nine, baby

B A | |
this is me in grade nine.

B A | |
This is me in grade nine, baby

B A | |
this is me in grade nine. They called me

Bridge

N.C. | |
chicken legs, they called me four-eyes, they called me

| |
fatso, they called me buckwheat, they called me

| |
Eddie... *(drums)*

Chorus 4

B A | |
This is me in grade nine, baby

B A | |
this is me in grade nine.

B A | |
This is me in grade nine, baby

B A | |
this is me in grade nine. I've got a

Verse 4

B A | |
red leather tie and a pair of rugger pants,

B A | |
I put them on and I went to the high school

B A | |
dance. Dad said I have to be home by eleven.

F♯ |E |
Aw, man! I'm gonna miss Stairway to Heaven.

Chorus 5

B A | |
This is me in grade nine, baby

B A | |
this is me in grade nine.

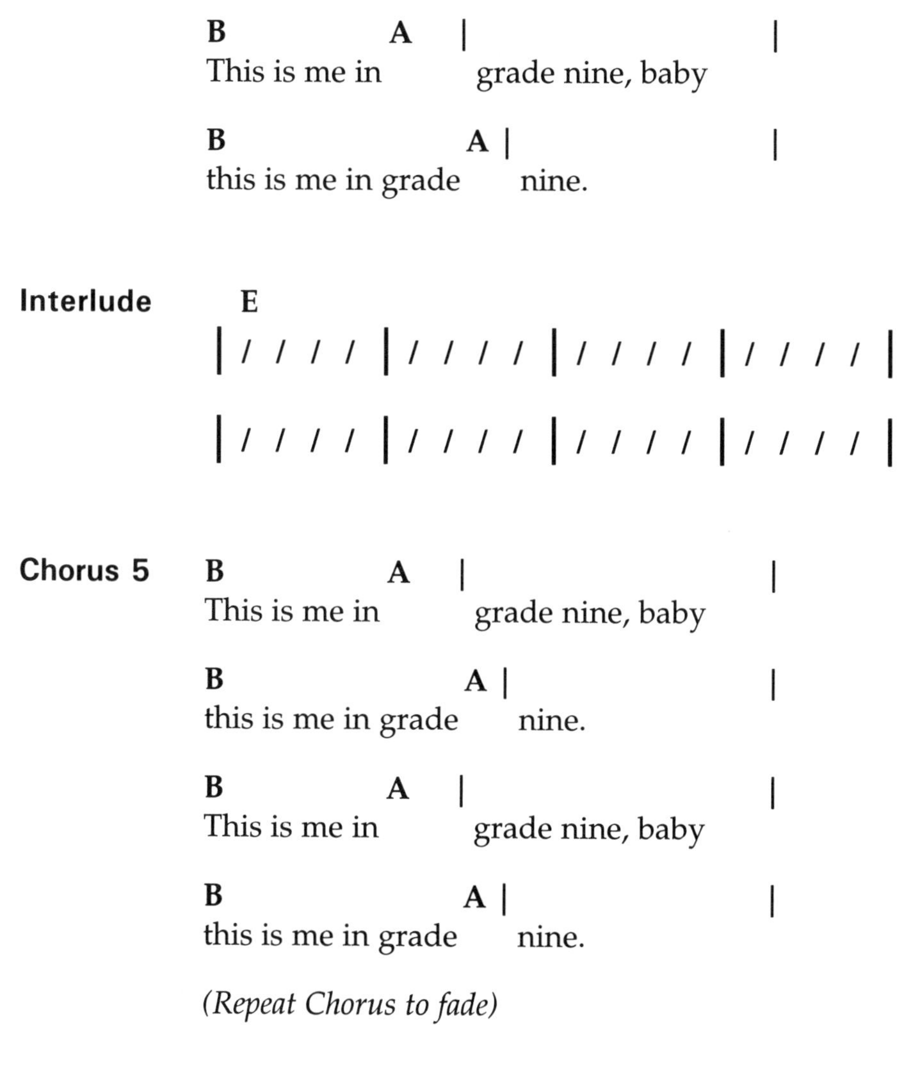

B **A** | |
This is me in grade nine, baby

B **A** | |
this is me in grade nine.

Interlude **E**

| / / / / | / / / / | / / / / | / / / / |

| / / / / | / / / / | / / / / | / / / / |

Chorus 5 **B** **A** | |
This is me in grade nine, baby

B **A** | |
this is me in grade nine.

B **A** | |
This is me in grade nine, baby

B **A** | |
this is me in grade nine.

(Repeat Chorus to fade)

If I Had $1,000,000

Words and Music by
STEVEN PAGE AND ED ROBERTSON

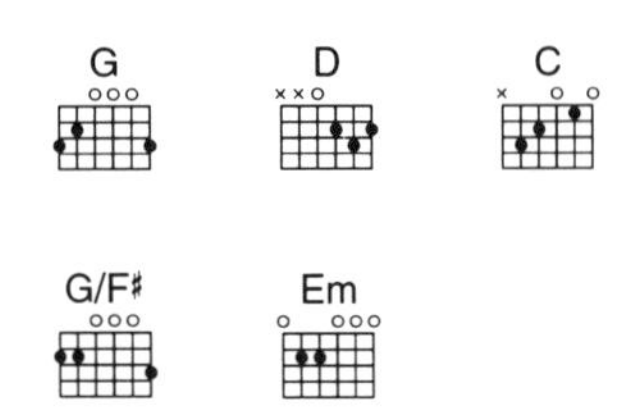

♩ = 160 Capo at 2nd fret

Intro

```
        G          D          C
4/4 / / | / / / / | / / / / | / / / / | / / / / |

        G          D          C          N.C.
        | / / / / | / / / / | / / / / | / / / / |
```

Verse 1

```
        G          D          C
        | / / / / | / / / / | / / / / | / / / / |

        G          D          C          N.C.
        | / / / / | / / / / | / / / / | / / / / |
```

```
G              |D                    |C              |                  |
               If I had a million dollars,   if I had a million dol-

G              |D                    |C              |                  |
lars.  Well, I'd buy you a house,          I would buy you a house,

G              |D                    |C              |                  |
    And if I had a million dollars,        if I had a million dol-

G                        |D                              |
lars.            I'd buy you furniture for your house,

C                        |                        |
      maybe a nice chesterfield   or   an   ot-
```

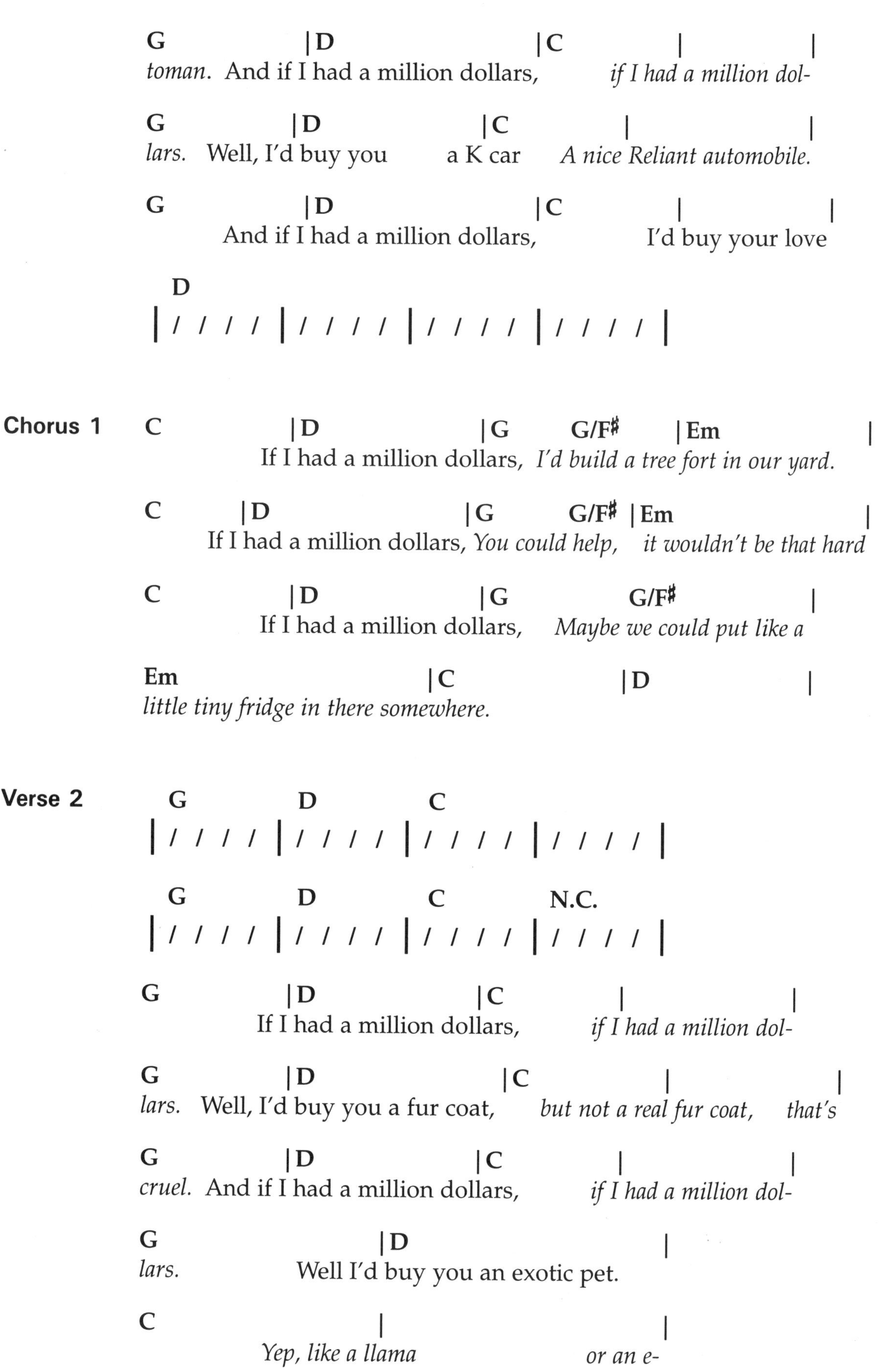

G |D |C | |
toman. And if I had a million dollars, if I had a million dol-
G |D |C | |
lars. Well, I'd buy you a K car A nice Reliant automobile.
G |D |C | |
And if I had a million dollars, I'd buy your love
D
| / / / / | / / / / | / / / / | / / / / |
Chorus 1
C |D |G G/F♯ |Em |
If I had a million dollars, I'd build a tree fort in our yard.
C |D |G G/F♯ |Em |
If I had a million dollars, You could help, it wouldn't be that hard
C |D |G G/F♯ |
If I had a million dollars, Maybe we could put like a
Em |C |D |
little tiny fridge in there somewhere.
Verse 2
G D C
| / / / / | / / / / | / / / / | / / / / |
G D C N.C.
| / / / / | / / / / | / / / / | / / / / |
G |D |C | |
If I had a million dollars, if I had a million dol-
G |D |C | |
lars. Well, I'd buy you a fur coat, but not a real fur coat, that's
G |D |C | |
cruel. And if I had a million dollars, if I had a million dol-
G |D |
lars. Well I'd buy you an exotic pet.
C | |
Yep, like a llama or an e-

G |D |C | |
mu. And if I had a million dollars, *if I had a million dol-*

G |D |
lars. Well, I'd buy you John Merrick's remains

C | |
Ooh all them crazy elephant bones.

G |D |C | |
And if I had a million dollars, I'd buy your love

D
| / / / / | / / / / | / / / / | / / / / |

Chorus 2

C |D |G G/F♯ |Em |
If I had a million dollars, *We wouldn't have to walk to the store.*

C |D |
If I had a million dol-

G G/F♯ |Em |
lars, *We'd take a limousine 'cause it costs more.*

C |D |G G/F♯ |
If I had a million dollars, *We wouldn't have*

Em |C |D |
to eat Kraft Dinner.

Verse 3

G D C
| / / / / | / / / / | / / / / | / / / / |

G D C N.C.
| / / / / | / / / / | / / / / | / / / / |

G |D |C | |
If I had a million dollars, *if I had a million dol-*

G |D |C | |
lars. Well, I'd buy you a green dress, *but not a real green dress, that's*

G |D |C | |
cruel. And if I had a million dollars, *if I had a million dol-*

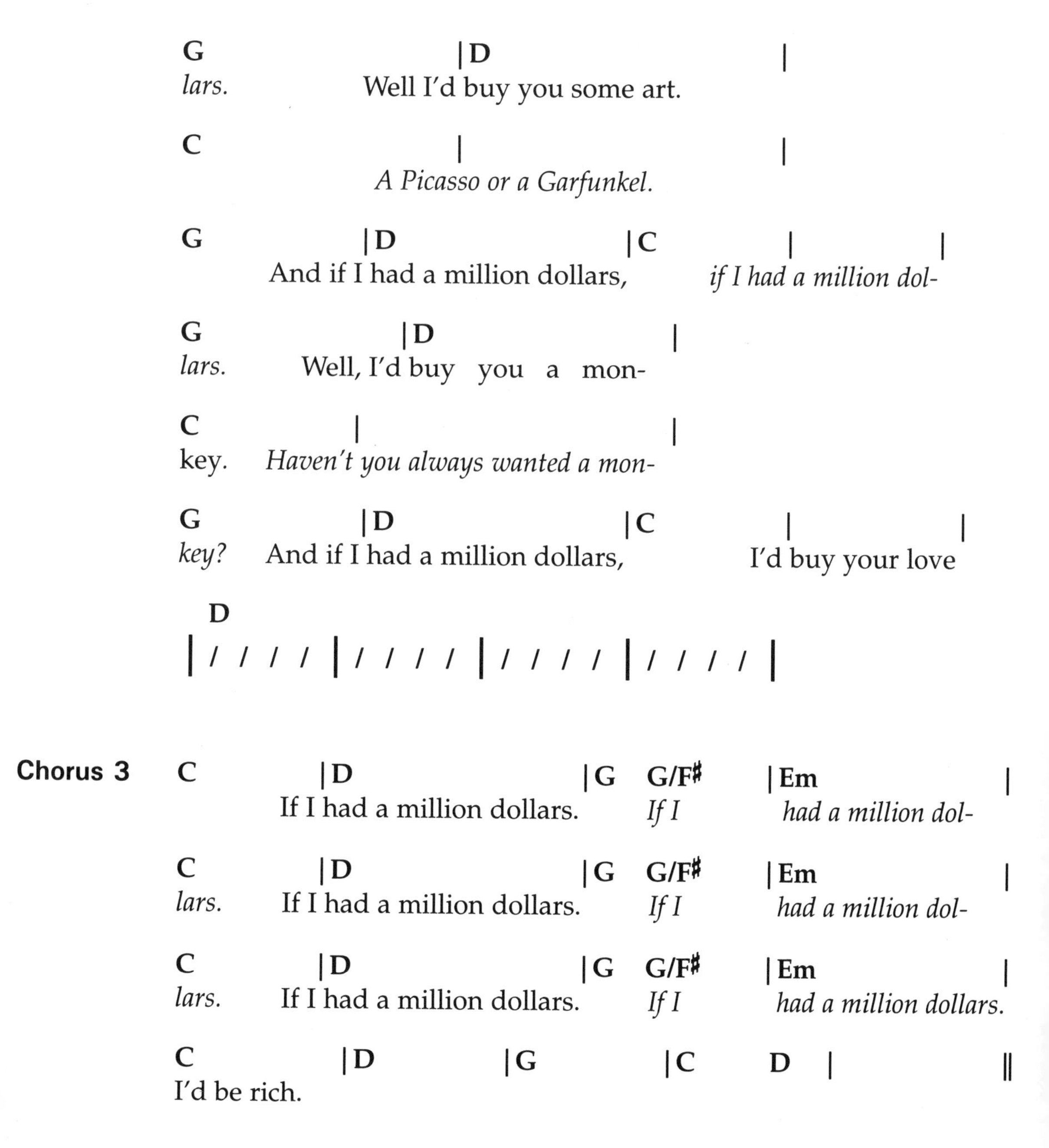
G |D |
lars. Well I'd buy you some art.
C | |
A Picasso or a Garfunkel.
G |D |C | |
And if I had a million dollars, if I had a million dol-
G |D |
lars. Well, I'd buy you a mon-
C | |
key. Haven't you always wanted a mon-
G |D |C | |
key? And if I had a million dollars, I'd buy your love
D
| / / / / | / / / / | / / / / | / / / / |
Chorus 3
C |D |G G/F♯ |Em |
If I had a million dollars. If I had a million dol-
C |D |G G/F♯ |Em |
lars. If I had a million dollars. If I had a million dol-
C |D |G G/F♯ |Em |
lars. If I had a million dollars. If I had a million dollars.
C |D |G |C D | ||
I'd be rich.

In The Car

Words and Music by
STEVEN PAGE

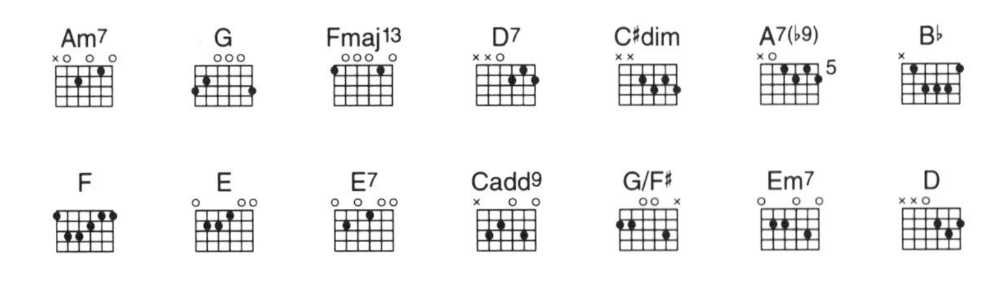

♩ = 138

Intro

Am7		G	
4/4 / / | / / / /	/ / / /	/ / / /	/ / / /

Am7		G	
/ / / /	/ / / /	/ / / /	/ / / /

Verse 1

Am7 | She fed me strawberries |

G | and freezer burned ice cream. |

Am7 | I said, 'Goodbye, I guess.' |

E7 | She lifted up her dress |

Fmaj13 | and so, I must confess |

D7 | we made out one more |

C♯dim A7(♭9) | D | C♯dim A7(♭9) | D |
time be - fore I left for good. She

C#dim A7(b9) | D | C#dim A7(b9) | Bb |
thought I'd come back, but I wouldn't want to

F | E | |
seem like other guys.

Verse 2

Am7 | |
A book-and-record love,

G | |
we sat and read our books

Am7 | |
Between those longing looks,

E7 | |
Compounded by our fear.

Fmaj13 | |
My tongue inside her ear.

D7 | |
My tongue inside her,

C#dim A7(b9) | D | C#dim A7(b9) | D |
in the base - ment of her mother's

C#dim A7(b9) | D | C#dim A7(b9) | Bb |
house where we once taped the first three sides of

F | E | E7 |
Sandanista! for my

Chorus 1

Cadd9 | D |
car. We were look-ing for ourselves

G G/F# | Em7 D |
and found each oth-er. In the car

Cadd9 | D |
it was rare to do much more

G G/F# | Em7 D |
than simply mess around. In the car

```
Cadd9                        |D                         |
          it was most-ly          mutual

G            G/F#            |Em7    D                  |
          masturba    -    tion.   Though we spoke

Cadd9                        |D                         |
          of penetra-tion, I'd have to wait

Am7                          |                          |
      for someone else                to try it out.
```

Interlude

```
  G                   Am7
| / / / / | / / / / | / / / / | / / / / |

  G                   Am7
| / / / / | / / / / | / / / / | / / / / |

  G                   Am7
| / / / / | / / / / | / / / / | / / / / |

  G
| / / / / | / / / / |
```

Verse 3

```
Am7                          |                          |
                  Once I had this dream

G                            |                          |
                  where I slept with her mom.

Am7                          |                          |
                     Un-less I've got this wrong.

E7                           |                          |
                      A secret all along.

Fmaj13                       |                          |
                     Un-less she hears this song,

D7                           |                          |
                     Un-less she hears it
```

```
C#dim    A7(b9)   |D              |C#dim   A7(b9)  |D               |
on       a         tape    in  -   side    her      car      with

C#dim    A7(b9)   |D              |C#dim   A7(b9)  |Bb              |
her      new       hus  -  band    and     she      turns to him and

F                  |E              |E7                 |
says, 'I think that's  me.'          In the car
```

Chorus 2

```
Cadd9                      |D                  |
car.        We were look-ing    for   ourselves

G          G/F#            |Em7       D        |
    but found each oth-er.            In  the  car

Cadd9                      |D                  |
              we groped  for excuses

G          G/F#            |Em7       D        |
   not to be    alone      anymore       In the car

Cadd9                      |D                  |
            we were wait-ing       for our lives

G          G/F#            |Em7       D        |
      to start their end-ings.          In the car

Cadd9                      |D                  |
              we were ne-ver    making    love.

Cadd9                      |D                  |
              We were ne-ver    making    love.

Cadd9                      |D                  |
              We were ne-ver    making

Fmaj13            |                 |G               ||
love.
```

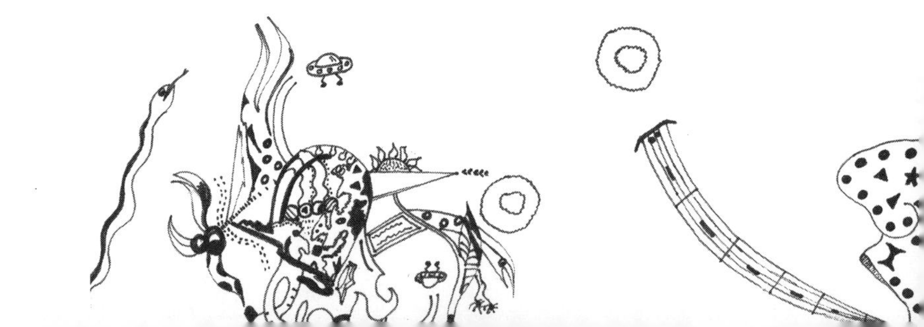

Call And Answer

Words and Music by
STEPHEN DUFFY AND STEVEN PAGE

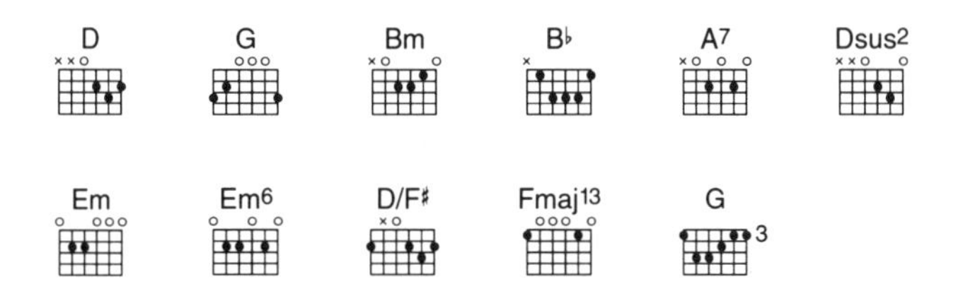

♩ = 92

Intro

```
   D      G           D      G
4/4 | / / / / | / / / / | / / / / | / / / / |

   D      G           D      G
   | / / / / | / / / / | / / / / | / / / / |
```

Verse 1

```
D            G |            |D           G     |          |
I                  think    it's  getting to the point  where I can be

D       G    |              |D          G    |            |
myself again.             It's  getting to the point where we have al-

D            G      |             |D       G     |        |
most made amends.                  I             think   it's the

Bm                |B♭          |A7                   |           |
getting to the point that is the hardest part.        And if you call,
```

Chorus 1

```
G          |D   Dsus2  D      |G                |D   Dsus2  D      |
   I will answer, and if   you fall, I'll pick you up,   and if  you court

G              |D   Dsus2  D        |A7                  |            |
   this disaster, I'll    point you home,              I'll point you

D    Dsus2   D  |G                |D   Dsus2   D   |G                |
home.
```

Verse 2

D G | |D G | |
You think I only think about you when we're both in

D G | |D G | |
the same room. It's getting to the point where we have al-

D G | |D G | |
most made amends. You think we're here

Bm |B♭ |A7 | |
to play a game of who-loves-more-than-whom. And if you call,

Chorus 2

G |D Dsus2 D |G |D Dsus2 D |
I will answer, and if you fall, I'll pick you up, and if you court

G |Em |Em6 |Em |
this disaster…

Em6 Em Em6 Em
| / / / / | / / / / | / / / / | / / / / |

Em6 G D/F♯ Fmaj13 G
| / / / / | / / / / | / / / / | / / / / | / / / / |

Verse 3

D G | |D G | |
You think it's only fair to do what's best for you

D G | |D G | |
and you alone. You think it's only fair to do the same to me

D G | |D G | |
when you're not home. I think it's time

Bm |B♭ |A7 | |
to make this something that is more than only fair. And if you call,

Chorus 3

G |D Dsus2 D |G |D Dsus2 D |
I will answer, and if you fall, I'll pick you up, and if you court

G |D Dsus2 D |A7 | |
this disaster, I'll point you home, but I'm warn-

Interlude

```
G                                   |Gm                       |
ing you                  don't ever do those

D                                |                            |
crazy,   messed   up        things that you do.   If you ev-

G                                   |Gm                       |
er do,                           I promise you I'll

D                                   |                         |
be    the    first    to          crucify you.   Now it's time

G                                   |Gm                       |
to prove that you've come      back here to rebuild,

D          Dsus2      D          |G                           |
                      rebuild,                         rebuild,

D          Dsus2      D          |G                           |
                      rebuild,                         rebuild,

D          Dsus2      D          |G                           |
                      rebuild,                         rebuild,

D          Dsus2      D          |G                           |
                      rebuild,                         rebuild,

D          Dsus2      D          |G                           |
                      rebuild,                         rebuild,

  D   Dsus2    D  G
| / /      / / | / / / / |
```

Coda

```
  D   Dsus2    D  G          D   Dsus2    D  G
| / /      / / | / / / / | / /      / / | / / / / |

  D   Dsus2    D  G          D   Dsus2    D  G
| / /      / / | / / / / | / /      / / | / / / / |

  D   Dsus2    D  G          D   Dsus2    D  G
| / /      / / | / / / / | / /      / / | / / / / |

  D
| / / / / ||
```

Jane

Words and Music by
STEPHEN DUFFY AND STEVEN PAGE

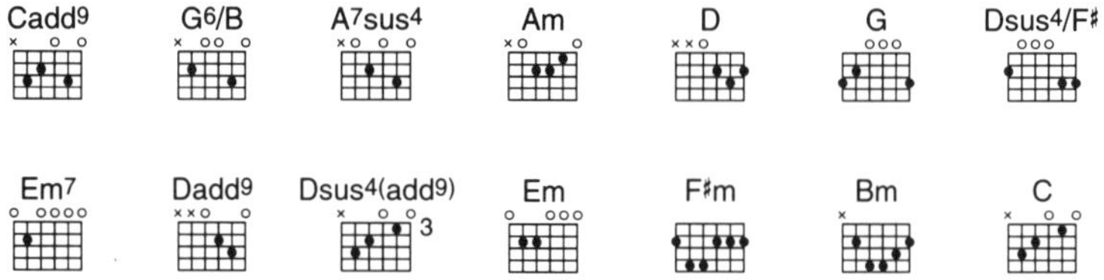

Cadd9 G6/B A7sus4 Am D G Dsus4/F♯

Em7 Dadd9 Dsus4(add9) Em F♯m Bm C

♩ = 126 Capo at 2nd fret

Intro

4/4 | Cadd9 G6/B / / A7sus4 / / | G6/B / / / / |
Cadd9 G6/B / / A7sus4 / /	G6/B / / / /
Cadd9 G6/B / / A7sus4 / /	G6/B / / / /
Cadd9 G6/B / / A7sus4 / /	G6/B / / / /

Verse 1

Cadd9 G6/B A7sus4 | G6/B |
The girl works at the store, sweet Jane

Cadd9 G6/B A7sus4 | G6/B |
Saint Clair.

Cadd9 G6/B A7sus4 | G6/B |
Was dazzled by her smile while I

Cadd9 G6/B A7sus4 | G6/B |
shopped there

Cadd9 G6/B A7sus4 | G6/B |
It wasn't long before I lived

```
Cadd9   G6/B       A7sus4 |    G6/B              |
     with her.

Cadd9   G6/B       A7sus4 |    G6/B              |
          I sang   her songs,   ah, while   she dyed

Cadd9   G6/B       A7sus4 |    G6/B              |
       my hair.
```

Chorus 1

```
A            |D           |G          Dsus4/F# |Em7       D      |
Jane,         divided,     but I can't decide    what side I'm on;

A            |D           |G        Dsus4/F# |Em7          D     |
Jane,         decided      only cowards        stay, while traitors run.

A            |D           |A          |D          |
Jane.                      Jane.

    Cadd9  G6/B      A7sus4        G6/B
| /   /        /  /       | /  /        /  /  |

    Cadd9  G6/B      A7sus4        G6/B
| /   /        /  /       | /  /        /  /  |
```

Verse 2

```
Cadd9   G6/B       A7sus4 |    G6/B              |
      I'd bring   her gold    and frankincense

Cadd9   G6/B       A7sus4 |    G6/B              |
     and myrrh;

Cadd9   G6/B       A7sus4 |    G6/B              |
     She thought that I       was making fun

Cadd9   G6/B       A7sus4 |    G6/B              |
        of her.

Cadd9   G6/B       A7sus4 |    G6/B              |
      She made   me feel      I was fourteen

Cadd9   G6/B       A7sus4 |    G6/B              |
          again.                            That's

Cadd9   G6/B       A7sus4 |    G6/B              |
why she thinks  it's cool  -  er    if we'd just
```

```
Cadd9  G6/B      A7sus4 |    G6/B                |
     stay friends.
```

Chorus 2

```
A              |D            |G          Dsus4/F♯ |Em7       D      |
Jane,            doesn't       think a man  could ever be     faithful.

A              |D            |G          Dsus4/F♯ |Em7   D          |
Jane,            isn't         giving me  a chance   to be   shameful.

B              |E            |B            |E               |
Jane.                          Jane.
```

Bridge

```
Bm           |G                       |C             |Dadd9  Dsus4(add9) |
    I wrote a  letter, she should have got it  yester-day.

Em                 |F♯m               |Bm               |C          Dadd9 |
That life could be better by being together, is what I cannot explain to

Cadd9    G6/B      A7sus4 |    G6/B          |
Jane.

   Cadd9  G6/B       A7sus4          G6/B
|  /  /        /  /       |  /  /       /  /  |
```

Verse 3

```
Cadd9    G6/B      A7sus4 |   G6/B             |
     The girl works at       the store, sweet Jane

Cadd9    G6/B      A7sus4 |   G6/B             |
    Saint Clair.

Cadd9    G6/B      A7sus4 |   G6/B             |
    Still dazzled     by     her smile     while I

Cadd9    G6/B      A7sus4 |   G6/B             |
shoplift  there

Cadd9    G6/B      A7sus4 |   G6/B             |
     No prom - is - es        as vague         as

Cadd9    G6/B      A7sus4 |   G6/B             |
      heaven.
```

```
Cadd9    G6/B        A7sus4 |    G6/B           |
      No Jul - i - a -     na  next        to my

Dadd9    A6/C#      B7sus4 |    A6/C#          |
        Evan.
```

Chorus 3

```
A              |D           |G            Dsus4/F# |Em7        D        |
Jane,           desired,     by the people       at  the school and work;

A              |D              |G            Dsus4/F# |Em7      D        |
Jane,           is tired 'cause ev'ry man becomes    a love - sick jerk.

A              |D             |A             |D            |
Jane.                          Jane,                 come on.
```

Coda

```
  Cadd9  G6/B        A7sus4         G6/B
| /  /         /  /        | /  /         /  / |

  Cadd9  G6/B        A7sus4         G6/B
| /  /         /  /        | /  /         /  / |

  Cadd9  G6/B        A7sus4         G6/B
| /  /         /  /        | /  /         /  / |

  Cadd9  G6/B        A7sus4         G6/B
| /  /         /  /        | /  /         /  / |

  Cadd9  G6/B        A7sus4         G6/B
| /  /         /  /        | /  /         /  / |

  Cadd9  G6/B        A7sus4         G6/B
| /  /         /  /        | /  /         /  / |

  Cadd9  G6/B        A7sus4         G6/B
| /  /         /  /        | /  /         /  / |

  Cadd9  G6/B        A7sus4         G6/B          Cadd9
| /  /         /  /        | /  /         /  / | /  /  /  /  ||
```

I'll Be That Girl

Words and Music by
STEPHEN DUFFY AND STEVEN PAGE

Em G D Cadd9

♩ = 144 Capo at 4th fret

Intro

```
   Em                          G
4/4 | / / / / | / / / / | / / / / | / / / / |

   D                           Cadd9
   | / / / / | / / / / | / / / / |

                    |
   If I were you
```

Verse 1

```
Em                  |          |G               |          |
                         (and I wish  that I were you)

D                     |          |Cadd9                  |        |
all the things I'd do        to make myself turn blue. I suppose

Em       |                 |G                   |        |
                    I'd start by removing all my clothes,

D                   |             |Cadd9               |          |
tie my pantyhose             around my neck.          I'll be that
```

Chorus 1

```
G             |Cadd9      D       |G              |Cadd9  D      |
girl      and you would be right over.                 If I were

G             |Cadd9          D   |G              |Cadd9  D      |
a field,       you would be in clover.                 If I were

G             |Cadd9          D   |G              |Cadd9  D      |
the sun,       you would be in shadow.            and if I had
```

```
          G                  |Cadd9          D      |Em                   |                  |
          a gun,             there'd be no tomorrow.                     If you will not have

Verse 2   G                  |                  |D                     |                  |
          me as myself,              perhaps as someone else.                         Per-

          Cadd9                |                       |Em               |                  |
          haps as you,  I'll  be worth noticing,                           then even a eu-

          G                    |                   |D                      |                |
          nuch won't resist                the magic of a kiss                          from

          Cadd9                |                  |
          such as you.           I'll be that

Chorus 2  G                  |Cadd9          D         |G               |Cadd9   D         |
          girl        and you would be right over.                           If I were

          G                  |Cadd9             D   |G                  |Cadd9   D         |
          a field,            you would be in clover.                        If I were

          G                  |Cadd9           D    |G                   |Cadd9   D         |
          the sun,            you would be in shadow.                      and if I had

          G                  |Cadd9          D     |Em                  |                  |
          a gun,             there'd be no tomorrow.                         It's time to

Bridge    3/4 Cadd9                   |D                   |4/4 G           |                |
          kick off your shoes, learn how to choose      sadness.          It's time to

          3/4 Cadd9                  |4/4 D                      |
          throw off those chains,       addle our brains with mad-

          G                          |                          |
          ness.                                 'Cause we've got

          3/4 Cadd9                  |D                        |
          plenty of time           to grow old and die,         but

          Cadd9                                        |D                            |
          when at last your beauty's faded, you'll be glad that I have waited

          4/4 Em                          |                          |
          for you.
```

Verse 3

```
 G                                 D
| / / / / | / / / / | / / / / | / / / / |

Cadd9              |                   | Em            |             |
                    When you're done                     with being
G                     |           | D                     |           |
beautiful and young,               when that course is run,      then
Cadd9               |              |
come to me.            I'll be that
```

Chorus 3

```
G             | Cadd9      D       | G            | Cadd9  D     |
girl      and you would be right over.                If I were
G             | Cadd9          D   | G            | Cadd9  D     |
a field,        you would be in clover.               If I were
G             | Cadd9         D    | G            | Cadd9  D     |
the sun,        you would be in shadow.            and if I had
G             | Cadd9             D   | G                  |
a gun,          there'd be no tomorrow.
Cadd9         D             | G                  |
There'd be no tomorrow.
Cadd9         D             | G                  |
There'd be no tomorrow.
Cadd9         D             | G                  |
There'd be no tomorrow.
Cadd9         D             | G                  |
There'd be no tomorrow.

    Cadd9       D           G
| /   /   /   / | /   /   /   / ||
```

It's All Been Done

Words and Music by
STEVEN PAGE

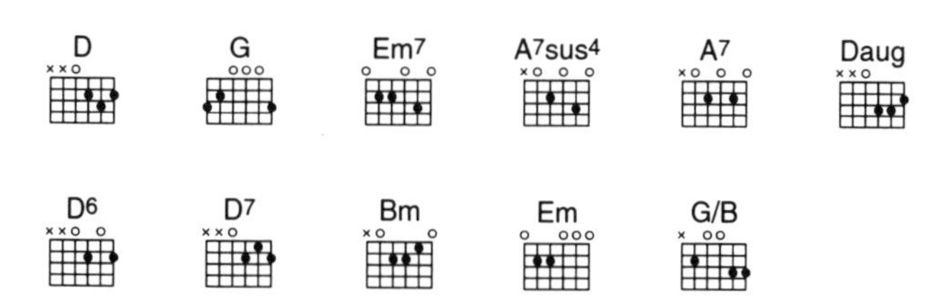

♩ = 132

Intro

D G | Em7 | A7sus4 A7

4/4 | / / / / | / / / / | / / / / | / / / / |

D G | Em7 | A7sus4 A7

| / / / / | / / / / | / / / / | / / / / |

Verse 1

D G | Em7 | | A7sus4 A7 |
I met you before the fall of Rome, and

D G | Em7 |
I begged you to

| A7sus4 A7 |
let me take you home. You were wrong,

D D+ | D6 | D7 | |
I was right . You said goodbye, I said good night. Oo, hoo.

Chorus 1

G | Bm | G | D |
It's all been done. Oo, hoo. It's all been done. Oo, hoo.

G | Em | | A7 |
It's all been done, *done, done,* before.

Verse 2

D G | Em7 | | A7sus4 A7 |
I knew you before the west was won and

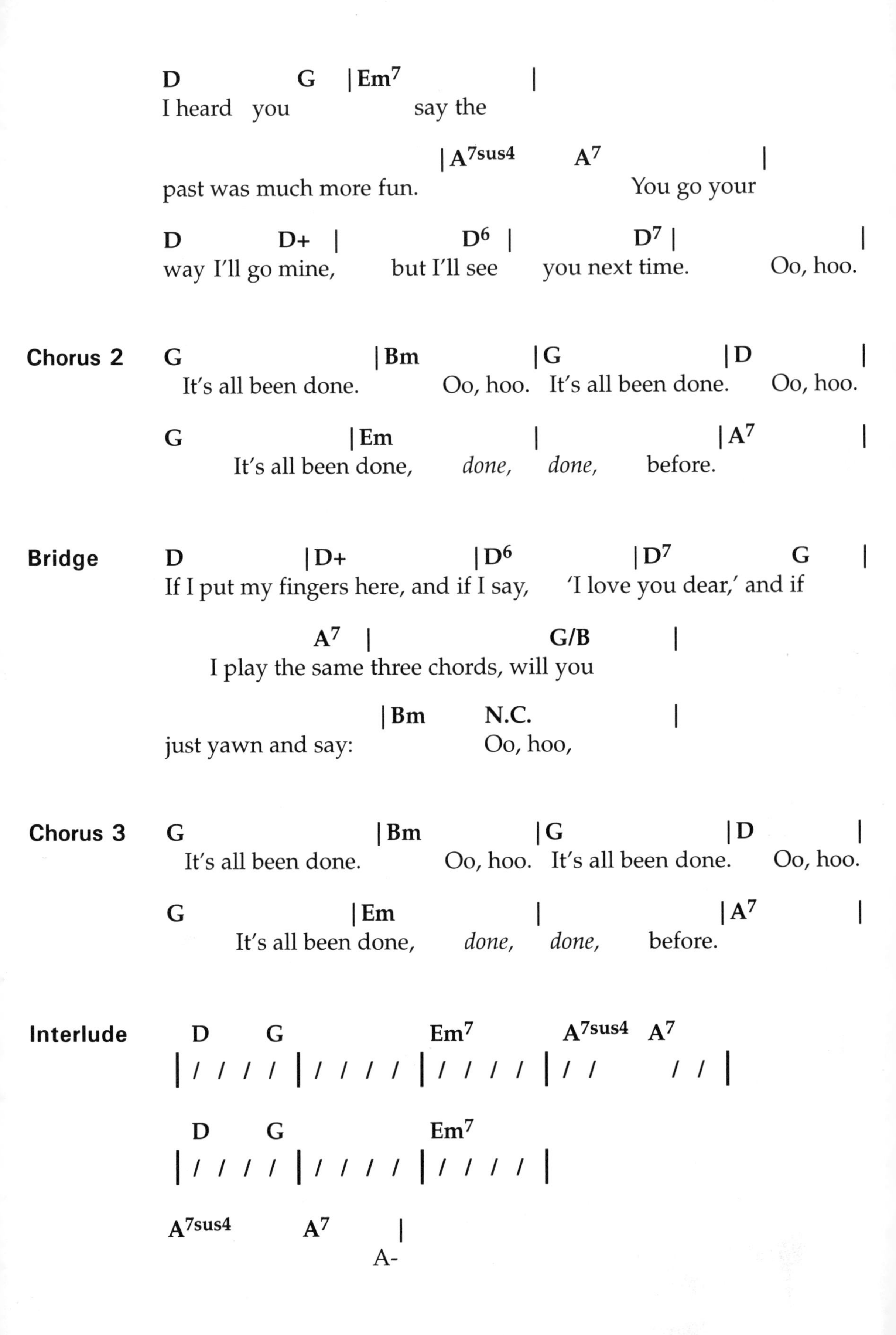
D G | Em7 |
I heard you say the
| A7sus4 A7 |
past was much more fun. You go your
D D+ | D6 | D7 | |
way I'll go mine, but I'll see you next time. Oo, hoo.
Chorus 2
G | Bm | G | D |
It's all been done. Oo, hoo. It's all been done. Oo, hoo.
G | Em | | A7 |
It's all been done, done, done, before.
Bridge
D | D+ | D6 | D7 G |
If I put my fingers here, and if I say, 'I love you dear,' and if
A7 | G/B |
I play the same three chords, will you
| Bm N.C. |
just yawn and say: Oo, hoo,
Chorus 3
G | Bm | G | D |
It's all been done. Oo, hoo. It's all been done. Oo, hoo.
G | Em | | A7 |
It's all been done, done, done, before.
Interlude
D G Em7 A7sus4 A7
| / / / / | / / / / | / / / / | / / / / |
D G Em7
| / / / / | / / / / | / / / / |
A7sus4 A7 |
A-

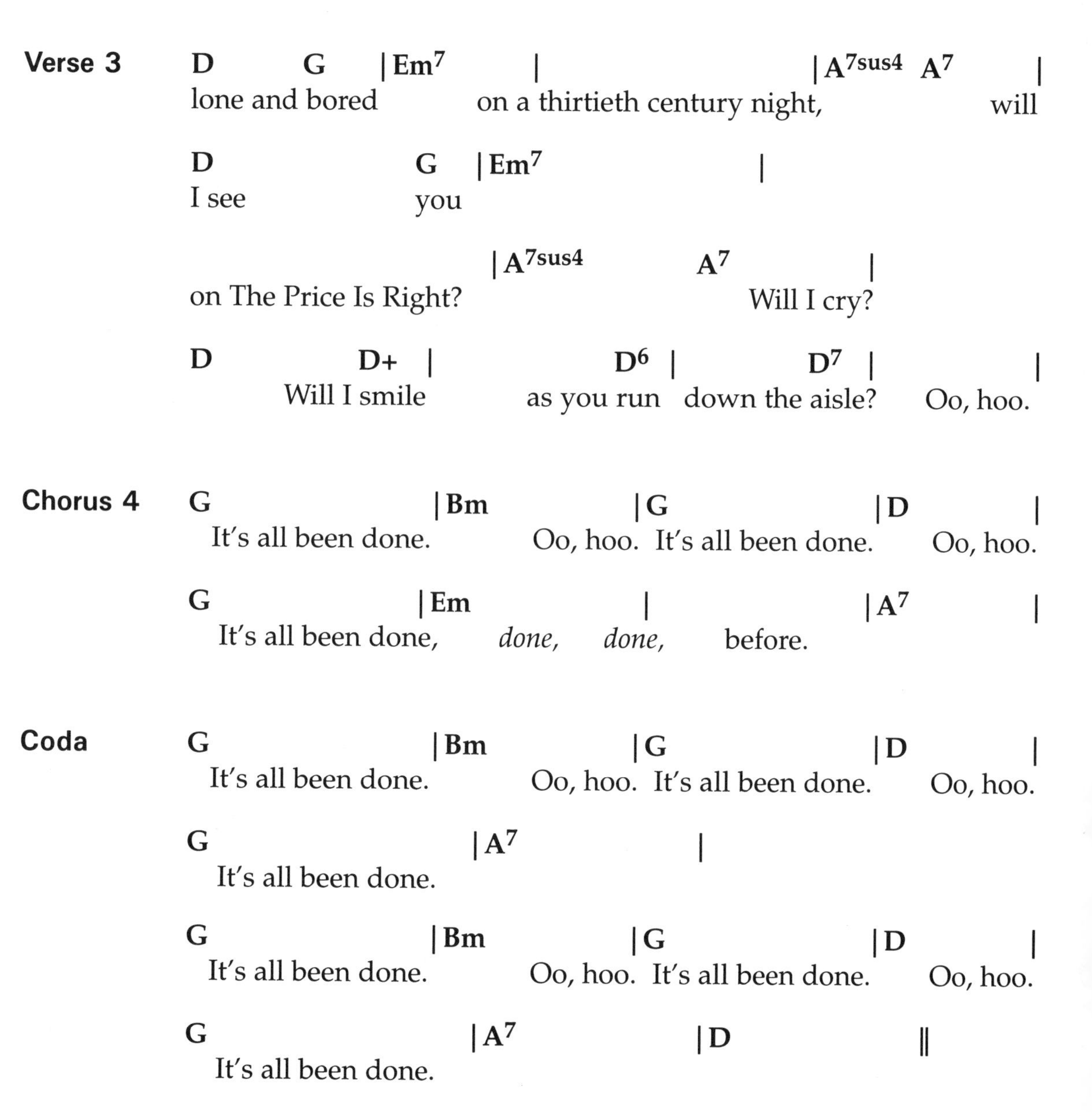
Verse 3
D G | Em7 | | A7sus4 A7 |
lone and bored on a thirtieth century night, will
D G | Em7 |
I see you
| A7sus4 A7 |
on The Price Is Right? Will I cry?
D D+ | D6 | D7 | |
Will I smile as you run down the aisle? Oo, hoo.
Chorus 4
G | Bm | G | D |
It's all been done. Oo, hoo. It's all been done. Oo, hoo.
G | Em | | A7 |
It's all been done, done, done, before.
Coda
G | Bm | G | D |
It's all been done. Oo, hoo. It's all been done. Oo, hoo.
G | A7 |
It's all been done.
G | Bm | G | D |
It's all been done. Oo, hoo. It's all been done. Oo, hoo.
G | A7 | D ||
It's all been done.

Leave

Words and Music by
STEVEN PAGE AND ED ROBERTSON

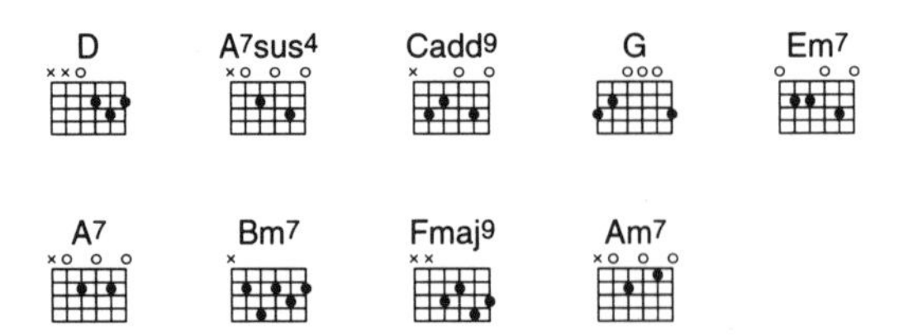

♩ = 144

Intro

D A7sus4 Cadd9 G D A7sus4 Cadd9 G
4/4 | / / / / | / / / / | / / / / | / / / / |

Verse 1

D A7sus4 | Cadd9 G | D A7sus4 | Cadd9 G |
I've in - formed you to leave, 'cause

D A7sus4 | Cadd9 G | D A7sus4 | Cadd9 G |
I can't afford to lose more sleep.

D A7sus4 | Cadd9 G | D A7sus4 | Cadd9 G |
I get ill when I get tired, so

D A7sus4 | Cadd9 G | D A7sus4 | Cadd9 G |
I'll try to rest if you'll stand guard.

Chorus 1

A7 Cadd9 | | G | Em7 |
Do do do do, do do do do, whoa.

A7 Cadd9 | | Bm7 | D A7sus4 |
Do do do do, do do do.

Cadd9 G D A7sus4 Cadd9 G D A7sus4
| / / / / | / / / / | / / / / | / / / / |

Cadd9 G D A7sus4 Cadd9 G
| / / / / | / / / / | / / / / |

Verse 2

D A7sus4 | Cadd9 G | D A7sus4 | Cadd9 G |
I've in - formed you to leave, 'cause

D A7sus4 | Cadd9 G | D A7sus4 | Cadd9 G |
I can't stand to hear you breathe.

D A7sus4 | Cadd9 G | D A7sus4 | Cadd9 G |
I chew up and I choke down, the

D A7sus4 | C9 G | D A7sus4 | C9 G |
scraps you choose to leave around.

Chorus 2

A7 Cadd9 | | G | Em7 |
Do do do do, do do do do, whoa.

A7 Cadd9 | |
Do do do do, do.

Bridge

Em7 | | Fmaj9 | |
Apparitions still won't leave me alone.

Am7 | | G | |
It's as if you never left.

Em7 | | Fmaj9 | |
How am I supposed to remember you,

Am7 | | D A7sus4 Cadd9 | G |
when you won't let me forget?

D A7sus4 Cadd9 G D A7sus4 Cadd9 G
| / / / / | / / / / | / / / / | / / / / |

D A7sus4 Cadd9 G
| / / / / | / / / / |

Verse 3

D A7sus4 | Cadd9 G | D A7sus4 | Cadd9 G |
I've in - formed you to leave, 'cause

D A7sus4 | Cadd9 G | D A7sus4 | Cadd9 G |
I can't afford to lose more sleep.

D A7sus4 | Cadd9 G | D A7sus4 | Cadd9 G |
There's your shoes and there's the door. Please

D A7sus4 | Cadd9 G | D A7sus4 | Cadd9 G |
don't come here any - more.

Chorus 3

A7 Cadd9 | | G | Em7 |
Do do do do, do do do do, whoa.

A7 Cadd9 | | Bm7 | D A7sus4 |
Do do do do, do do do.

Cadd9 G D A7sus4 Cadd9 G D A7sus4
| / / / / | / / / / | / / / / | / / / / |

Cadd9 G D A7sus4 Cadd9 G
| / / / / | / / / / | / / / / |

Coda

D A7sus4 Cadd9 G D A7sus4 Cadd9 G
| / / / / | / / / / | / / / / | / / / / |

D A7sus4 Cadd9 G D A7sus4 Cadd9 G
| / / / / | / / / / | / / / / | / / / / |

D A7sus4 Cadd9 G D A7sus4 Cadd9 G
| / / / / | / / / / | / / / / | / / / / |

D A7sus4 Cadd9 G D A7sus4 Cadd9 G
| / / / / | / / / / | / / / / | / / / / |

D A7sus4 Cadd9 G D A7sus4 Cadd9 G
| / / / / | / / / / | / / / / | / / / / |

D A7sus4 Cadd9 G D A7sus4 Cadd9 G
| / / / / | / / / / | / / / / | / / / / ||

Light Up My Room

Words and Music by
ED ROBERTSON

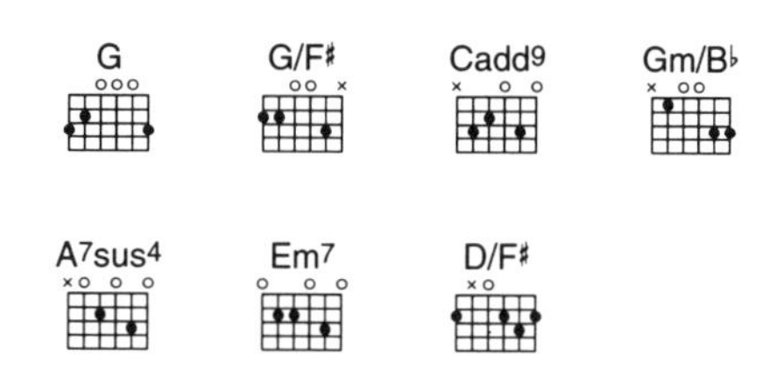

♩ = 126

Intro

```
    G    G/F♯  Cadd9     G    G/F♯  Cadd9
4/4| / / / / | / / / / | / / / / | / / / / |

    G    G/F♯  Cadd9     G    G/F♯
   | / / / / | / / / / | / / / / |

   Cadd9              |
            A hydro-
```

Verse 1

```
G                     G/F♯          |Cadd9                 |
field cuts through my neighbourhood;          somehow that

G                     G/F♯          |Cadd9                 |
always just made me feel good.                          I can

G                     G/F♯          |Cadd9                 |
put a spare bulb   in my hand           and light up my yard.

G                     G/F♯          |Cadd9                 |
                                                      Late at
```

Verse 2

```
G                     G/F♯          |Cadd9                 |
night when the     wires in the     walls              sing in

G                     G/F♯          |Cadd9                 |
tune with the din of the falls,                       I'm con-
```

```
G                    G/F#        |Cadd9             |
ducting it all       while I sleep.   To light this whole town

G                    G/F#        |Cadd9             |
                                             If you ques-
```

Chorus 1

```
Em7         D/F#   |G              |Em7        D/F#  |G            |
tion what I would do     to get over and be with   you;    lift you

Em7         D/F#        |G              |Gm/Bb   A7sus4   |G          |
up over     ev'rything to light up my room.

   G    G/F#   Cadd9        G    G/F#
|/ / / / |/ / / / |/ / / / |

Cadd9               |
           There's a
```

Verse 3

```
G                    G/F#        |Cadd9             |
shopping cart        in the ra  -  vine, the foam on the creek

G                    G/F#        |Cadd9             |
is like              pop and ice    cream.  A field full of tires

G               G/F#       |Cadd9                   |
that is al   -   ways on  fire                to light my way

G                    G/F#        |Cadd9             |
home                                            There are
```

Verse 4

```
G                    G/F#        |Cadd9             |
luxuries             we can't af  -  ford,          but at our

G                    G/F#        |Cadd9             |
house we never   get bored.                        We can

G                    G/F#     |Cadd9                |
dance to the         radio station      that plays in our teeth.

G                    G/F#        |Cadd9             |
                                             If you ques-
```

Chorus 3

```
Em7          D/F#    |G                |Em7        D/F#  |G              |
tion what I would do       to get over and be with   you;        lift you

Em7          D/F#          |G                    |Gm/Bb   A7sus4  |G          |
up over      ev'rything to light up my room,                              my

Gm/Bb      A7sus4     |G              |               |
room.                                     A hydro-
```

Verse 5

```
G                  G/F#           |Cadd9                  |
field cuts through my neighbourhood;       somehow that

G                  G/F#           |Cadd9                  |
always just made me feel good.                      I can

G                  G/F#           |Cadd9                  |
put a spare bulb   in my hand          and light up my yard,

G                  D              |Cadd9                  |
                                              light up my

G                  D              |Cadd9                  |
yard,                                         light up my

G                  D              |Cadd9                  |
yard,                                         light up my
```

Coda

```
G                  D              |Cadd9                  |
yard.                                         Light up my
```

(Repeat Coda ad lib and fade)

Never Is Enough

Words and Music by
STEVEN PAGE AND ED ROBERTSON

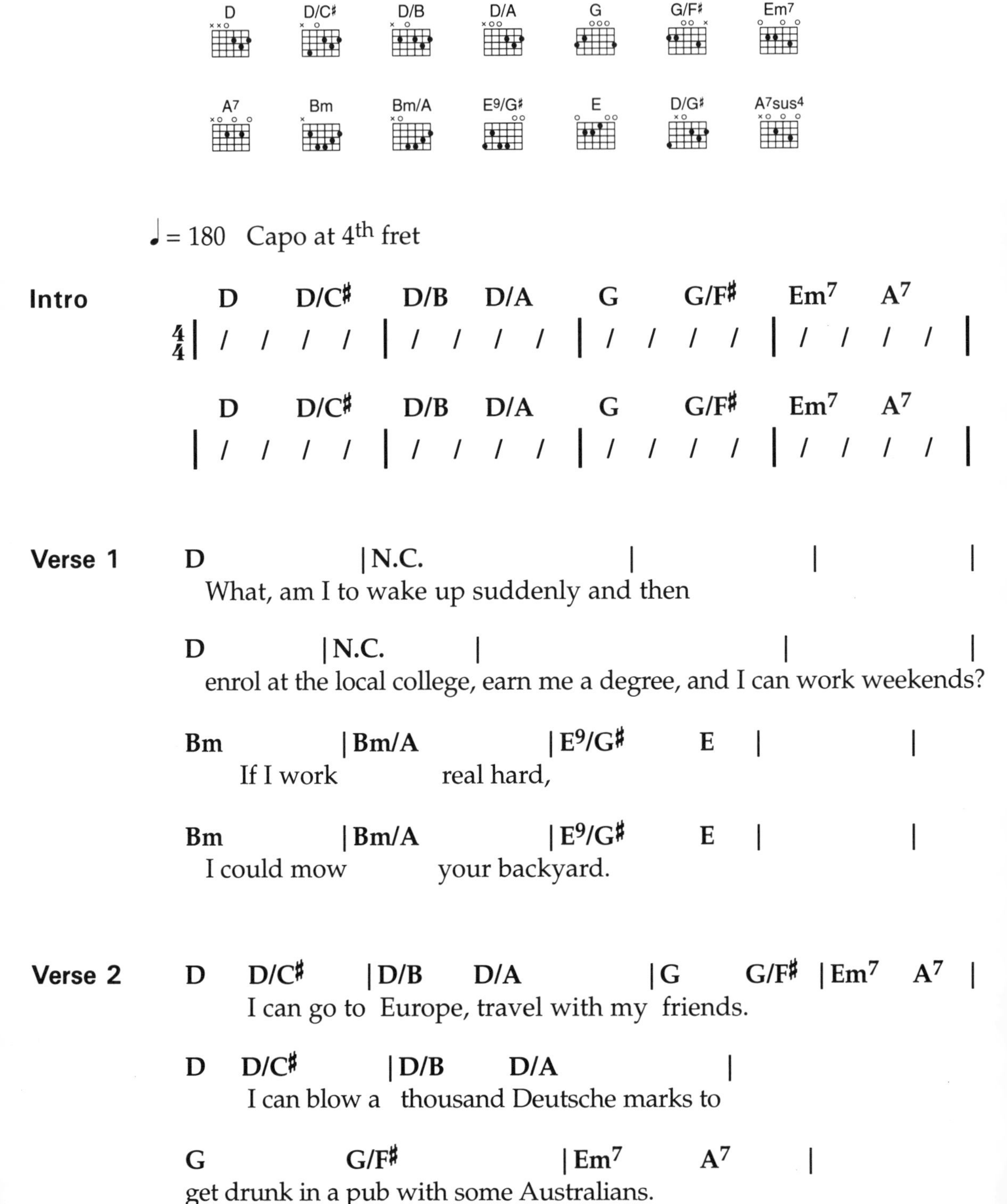

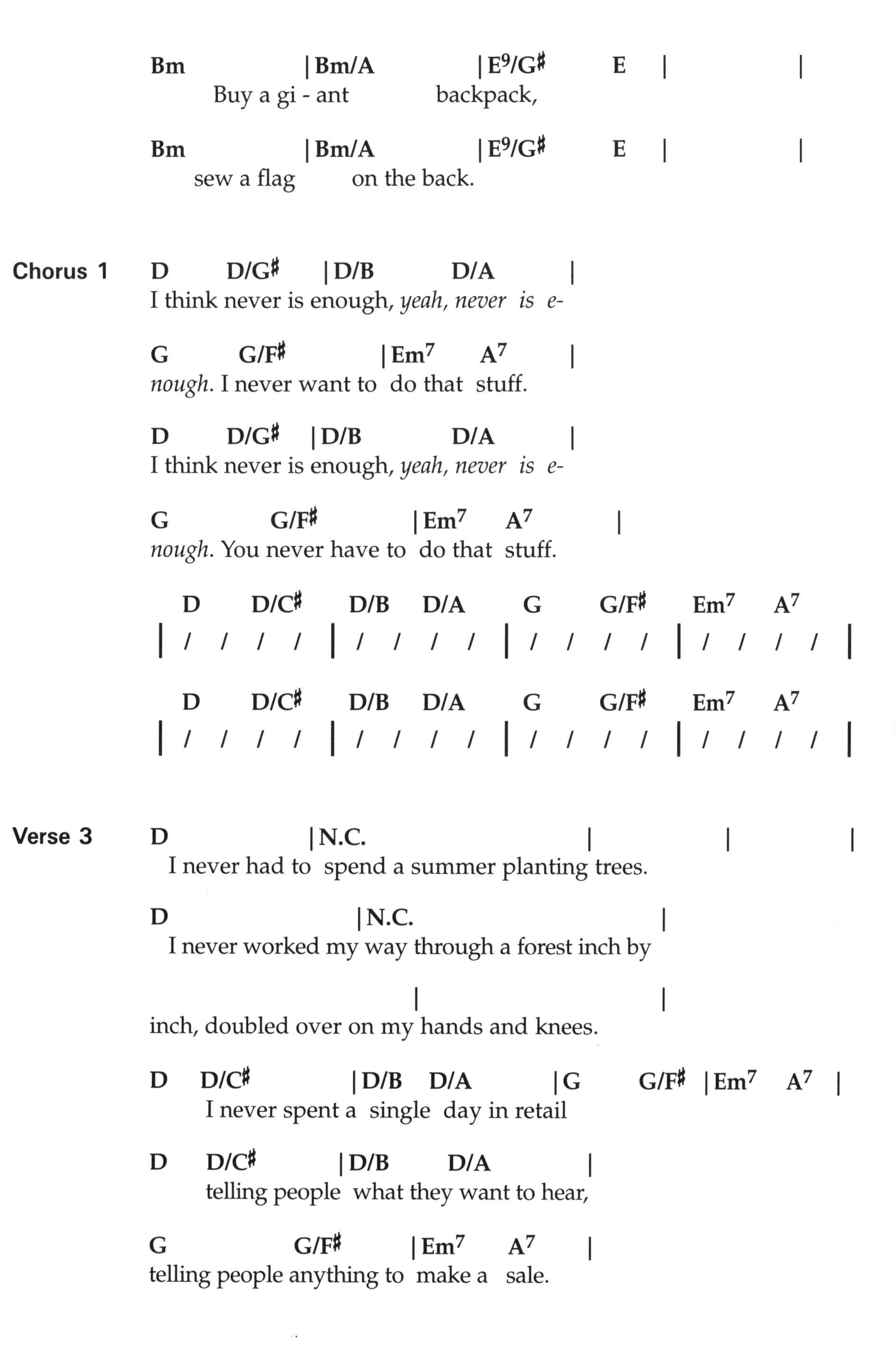
Bm |Bm/A |E9/G# E | |
Buy a gi - ant backpack,
Bm |Bm/A |E9/G# E | |
sew a flag on the back.
Chorus 1
D D/G# |D/B D/A |
I think never is enough, yeah, never is e-
G G/F# |Em7 A7 |
nough. I never want to do that stuff.
D D/G# |D/B D/A |
I think never is enough, yeah, never is e-
G G/F# |Em7 A7 |
nough. You never have to do that stuff.
D D/C# D/B D/A G G/F# Em7 A7
| / / / / | / / / / | / / / / | / / / / |
D D/C# D/B D/A G G/F# Em7 A7
| / / / / | / / / / | / / / / | / / / / |
Verse 3
D |N.C. | | |
I never had to spend a summer planting trees.
D |N.C. |
I never worked my way through a forest inch by
| |
inch, doubled over on my hands and knees.
D D/C# |D/B D/A |G G/F# |Em7 A7 |
I never spent a single day in retail
D D/C# |D/B D/A |
telling people what they want to hear,
G G/F# |Em7 A7 |
telling people anything to make a sale.

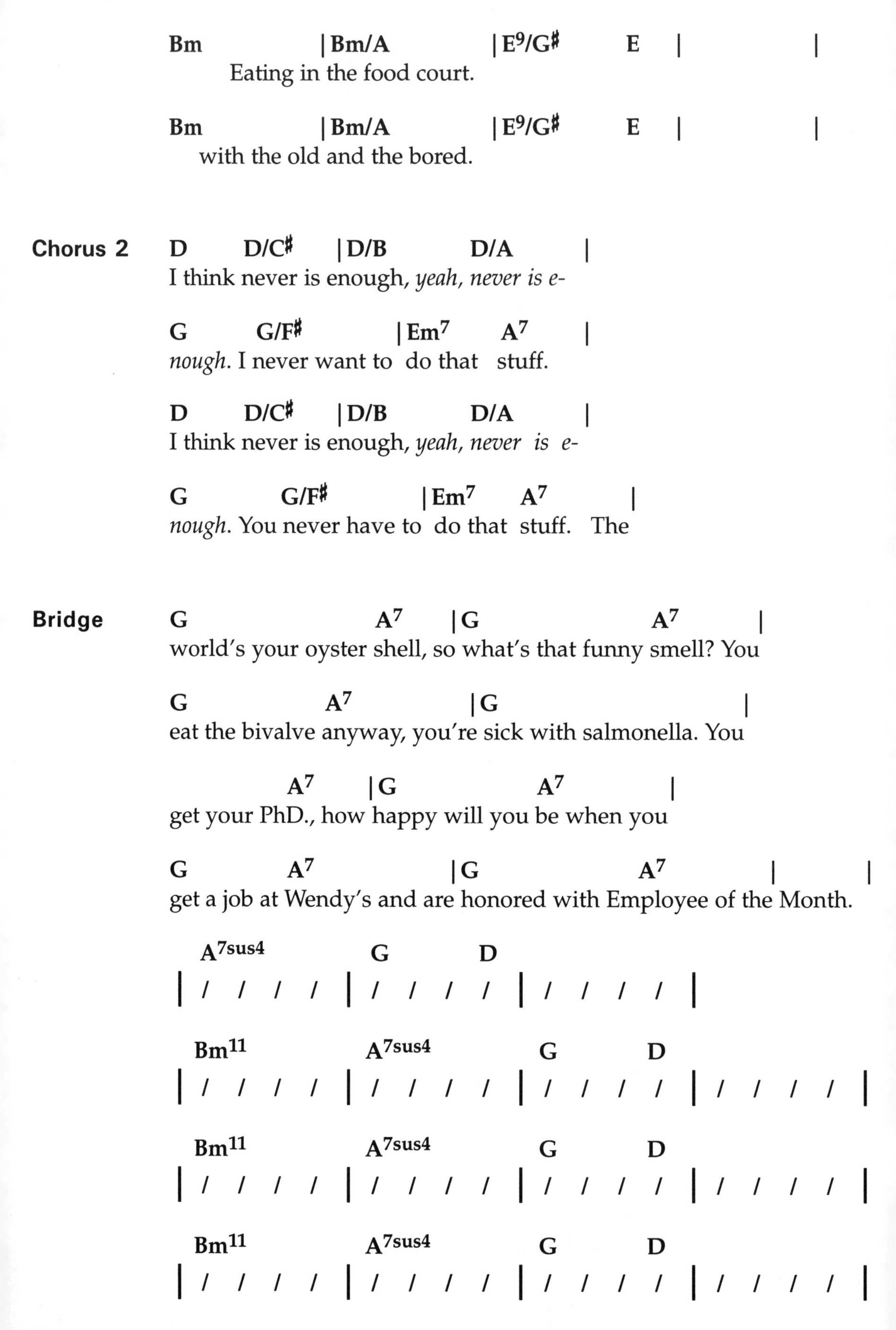
Bm |Bm/A |E9/G# E | |
Eating in the food court.
Bm |Bm/A |E9/G# E | |
with the old and the bored.
Chorus 2
D D/C# |D/B D/A |
I think never is enough, yeah, never is e-
G G/F# |Em7 A7 |
nough. I never want to do that stuff.
D D/C# |D/B D/A |
I think never is enough, yeah, never is e-
G G/F# |Em7 A7 |
nough. You never have to do that stuff. The
Bridge
G A7 |G A7 |
world's your oyster shell, so what's that funny smell? You
G A7 |G |
eat the bivalve anyway, you're sick with salmonella. You
A7 |G A7 |
get your PhD., how happy will you be when you
G A7 |G A7 | |
get a job at Wendy's and are honored with Employee of the Month.
A7sus4 G D
Bm11 A7sus4 G D
Bm11 A7sus4 G D
Bm11 A7sus4 G D

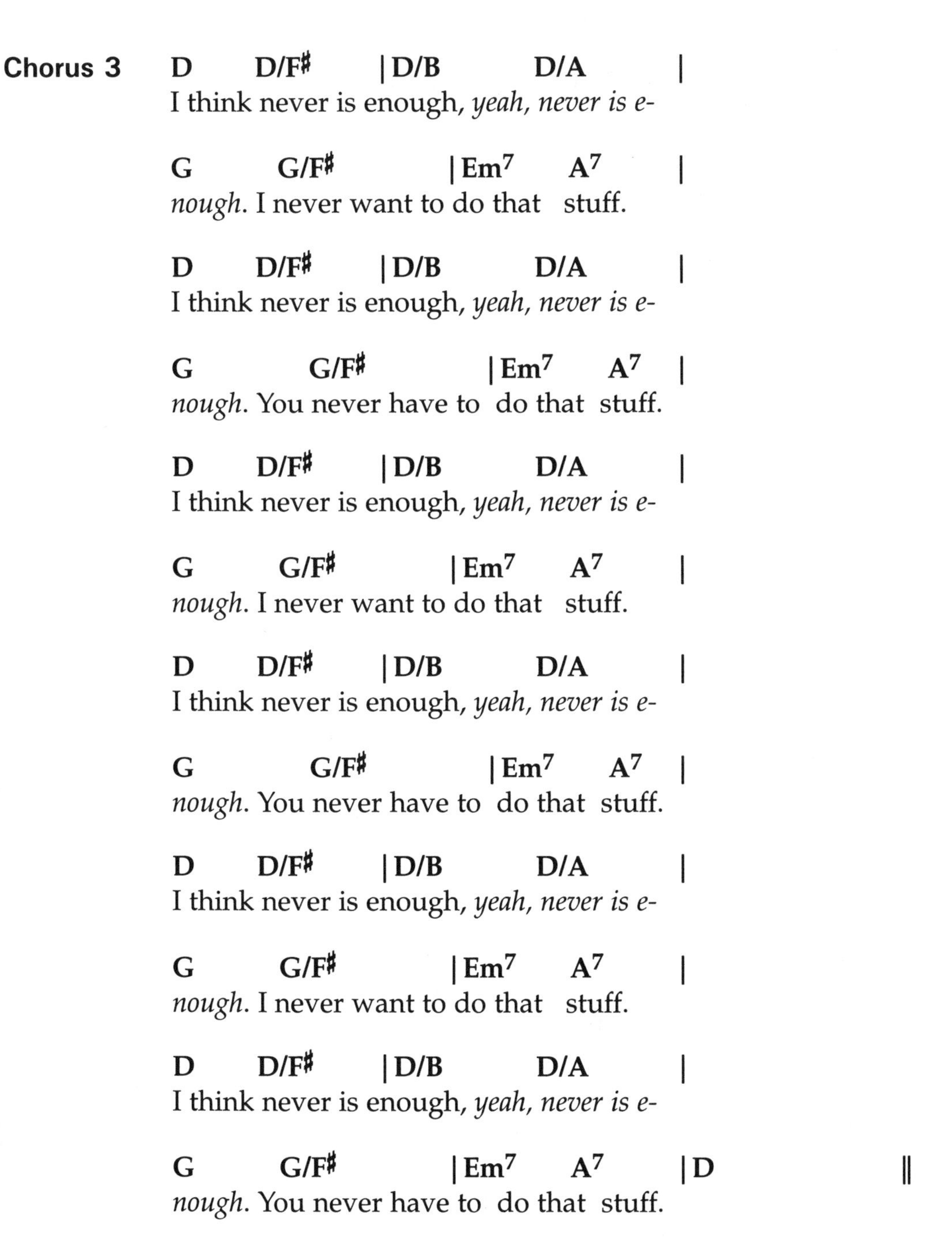
Chorus 3
D D/F# | D/B D/A |
I think never is enough, yeah, never is e-
G G/F# | Em7 A7 |
nough. I never want to do that stuff.
D D/F# | D/B D/A |
I think never is enough, yeah, never is e-
G G/F# | Em7 A7 |
nough. You never have to do that stuff.
D D/F# | D/B D/A |
I think never is enough, yeah, never is e-
G G/F# | Em7 A7 |
nough. I never want to do that stuff.
D D/F# | D/B D/A |
I think never is enough, yeah, never is e-
G G/F# | Em7 A7 |
nough. You never have to do that stuff.
D D/F# | D/B D/A |
I think never is enough, yeah, never is e-
G G/F# | Em7 A7 |
nough. I never want to do that stuff.
D D/F# | D/B D/A |
I think never is enough, yeah, never is e-
G G/F# | Em7 A7 | D ||
nough. You never have to do that stuff.

The Old Apartment

Words and Music by
STEVEN PAGE AND ED ROBERTSON

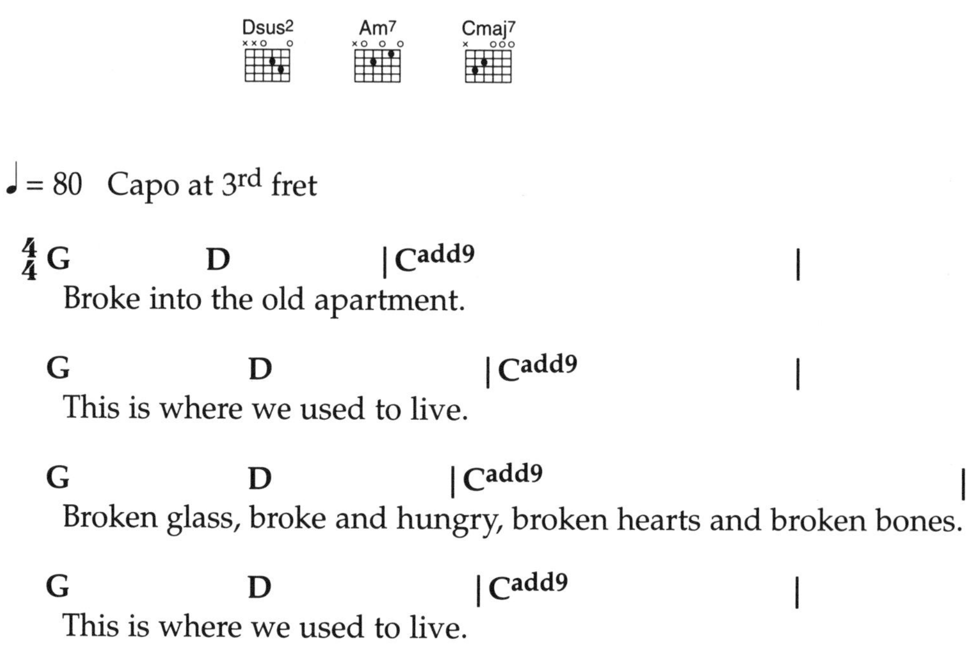

♩ = 80 Capo at 3rd fret

Chorus 1

4/4 G D | Cadd9 |
Broke into the old apartment.

G D | Cadd9 |
This is where we used to live.

G D | Cadd9 |
Broken glass, broke and hungry, broken hearts and broken bones.

G D | Cadd9 |
This is where we used to live.

Verse 1

Em7 Dsus2 | Cadd9 |
Why did you paint the walls?

Em7 Dsus2 | Cadd9 |
Why did you clean the floor?

Em7 Dsus2 | Cadd9 D |
Why did you plaster over the hole I punch'd in the

Em7 Dsus2 | Cadd9 D |
door? This is where we used to live.

Em7 Dsus2 | Cadd9 D |
Why did you keep the mousetrap? Why did you keep the dish-

Em7 Dsus2 | Cadd9 D |
rack? These things used to be mine; I guess they still are, I want them

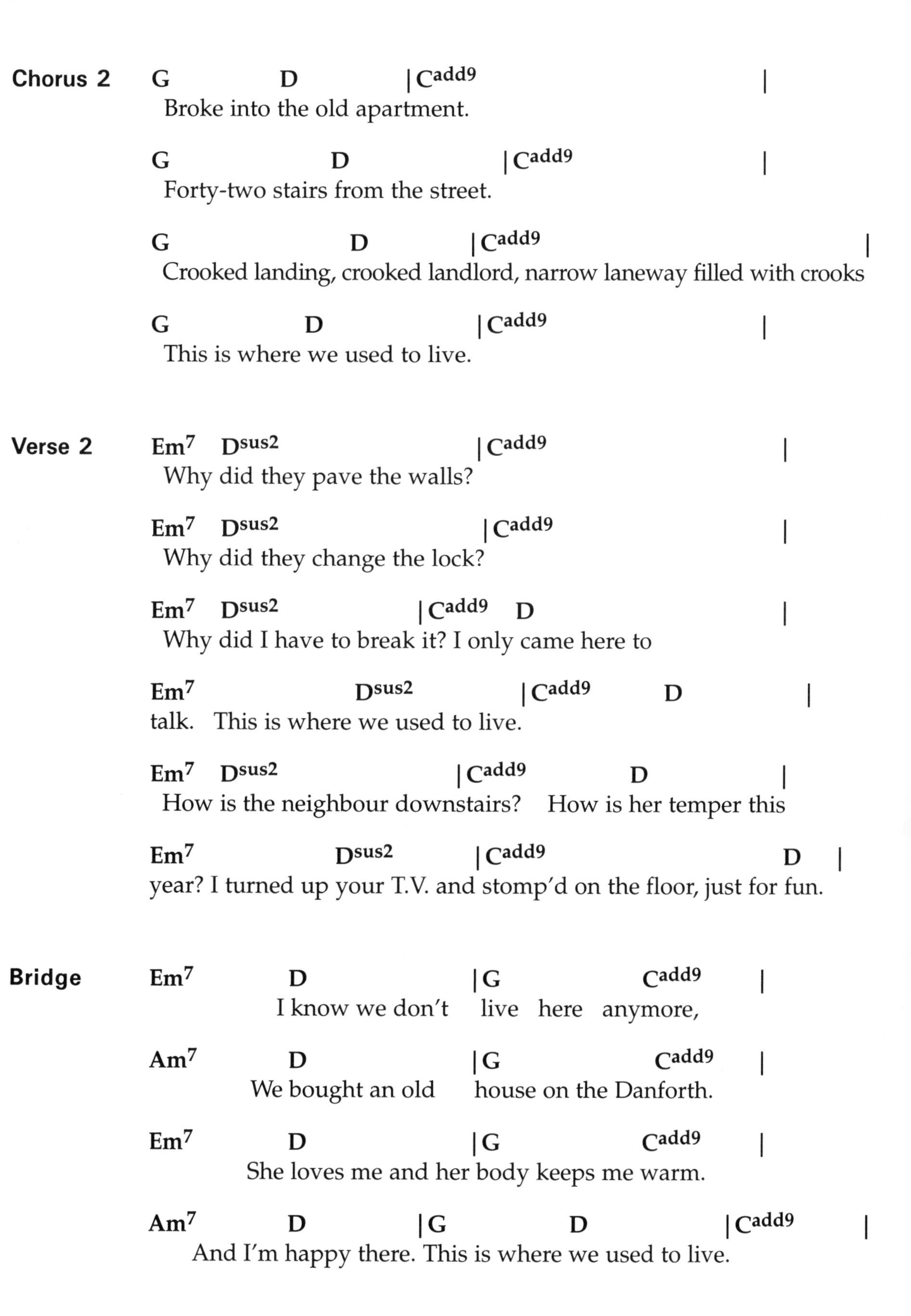
Chorus 2
G D | Cadd9 |
Broke into the old apartment.
G D | Cadd9 |
Forty-two stairs from the street.
G D | Cadd9 |
Crooked landing, crooked landlord, narrow laneway filled with crooks
G D | Cadd9 |
This is where we used to live.
Verse 2
Em7 Dsus2 | Cadd9 |
Why did they pave the walls?
Em7 Dsus2 | Cadd9 |
Why did they change the lock?
Em7 Dsus2 | Cadd9 D |
Why did I have to break it? I only came here to
Em7 Dsus2 | Cadd9 D |
talk. This is where we used to live.
Em7 Dsus2 | Cadd9 D |
How is the neighbour downstairs? How is her temper this
Em7 Dsus2 | Cadd9 D |
year? I turned up your T.V. and stomp'd on the floor, just for fun.
Bridge
Em7 D | G Cadd9 |
I know we don't live here anymore,
Am7 D | G Cadd9 |
We bought an old house on the Danforth.
Em7 D | G Cadd9 |
She loves me and her body keeps me warm.
Am7 D | G D | Cadd9 |
And I'm happy there. This is where we used to live.

Chorus 3

```
G           D           | Cadd9                    |
 Broke into the old apartment.

G               D              | Cadd9             |
 Tore the phone out of the wall.

G           D                 | Cadd9                          |
 Only mem'ries, fading mem'ries,    blending into dull tableaux,

G             D              | Cadd9               |
          I want     them  back.
```

Coda

```
G             D              | Cadd9                                |
          I want     them  back. This is where we used to live.

G             D              | Cadd9                                |
          I want     them  back. This is where we used to live.

G             D              | Cadd9                                |
          I want     them  back. This is where we used to live.

G             D              | Cmaj7                                ||
          I want     them  back.
```

Some Fantastic

Words and Music by
STEVEN PAGE AND ED ROBERTSON

G Am7/D Gmaj7 C B11 Em7 Em/D♯

Em7/D Am7 G/B G/F♯ Cadd9 A7 D/F♯

♩ = 164 Capo at 3rd fret

Intro

```
 G   Am7/D  Gmaj7 Am7/D  G   Am7/D  Gmaj7 Am7/D
4/4| / / / / | / /  / / | / / / / | / /  / / |

 G   Am7/D  Gmaj7 Am7/D  G   Am7/D  Gmaj7 Am7/D
| / / / / | / /  / / | / / / / | / /  / / |
```

Verse 1

```
G        Am7/D       |Gmaj7      Am7/D        |
         One day I     will      build  a foun-

G        Am7/D       |C          B11          |
tain,    drink and never  grow   old.

G        Am7/D       |Gmaj7      Am7/D        |
         Then I'll     market    an      elix-

G        Am7/D       |C          B11              |
ir       that will    eliminate  the common cold.

Em7      Em/D♯  Em7/D  |                      |
            Find your     sickness on my list.

  Am7   G/B      Am7
| /  /    /  / | /   /   /   / |

Em7      Em/D♯  Em7/D  |                      |
           Pay up front     and make a wish.

  Am7   G/B      Am7
| /  /    /  / | /   /   /   / |
```

Verse 2

```
G         Am7/D       |Gmaj7       Am7/D       |
          One day I    will        work with an-

G         Am7/D       |C           B11         |
imals;      all the tests  I'm gonna  do.

G         Am7/D       |Gmaj7     Am7/D         |
                 All my stuff's completely nat-

G    Am7/D           |C             B11                |
ural,   and when we're done we'll boil 'em down for glue

Em7      Em/D#   Em7/D   |                     |
          that we can              use to re-adhere

  Am7   G/B      Am7
| /  /    /  /      | /    /    /    /    |

Em7      Em/D#   Em7/D   |                     |
     your lips    to mine,         if you were here.

  Am7   G/B      Am7
| /  /    /  /      | /    /    /    /    |
```

Chorus 1

```
G         G/F#        |Cadd9       A7          |
There's a lot I will never         do:

G         D/F#          |Cadd9      A7          |
Some fantastic, I know  it's        true,      but

G     G/F#              |Cadd9  A7              |
not as much as my want to       be with

Cadd9                   |                       |
you.
```

Verse 3

```
G         Am7/D       |Gmaj7       Am7/D       |
          I can't stand  to        wait   in line

G         Am7/D       |C           D11         |
long,           so I built a   new   machine.

G         Am7/D       |Gmaj7       Am7/D       |
                 It just measures     up the dist-
```

```
           G       Am7/D     |C            B11           |
           ance       and then eliminates   the folks between.
```

Verse 4

```
           G       Am7/D     |Gmaj7        Am7/D         |
                   One day I'll        construct a      sat-

           G       Am7/D     |C            B11           |
           ellite   and I'll name it  after  you.

           G       Am7/D          |Gmaj7     Am7/D       |
                     Cause you were      the greatest friend

           G     Am7/D         |C          B11           |
              of all,    except for when you split my lip in two.

           Em7     Em/D#  Em7/D |                         |
                        To see the  look upon your face

             Am7  G/B      Am7
           | /  /    /  /      | /    /    /    /     |

           Em7     Em/D#  Em7/D |                     |
                       as I launch  you into space.

             Am7  G/B       Am7
           | /  /    /  /      | /    /    /    /     |
```

Chorus 2

```
           G       G/F#      |Cadd9       A7         |
           There's a lot I will never     do:

           G       D/F#       |Cadd9      A7         |
           Some fantastic, I know  it's    true,     but

           G     G/F#           |Cadd9  A7           |
           not as much as my want to     be with

           Cadd9                |                    |
           you.
```

Bridge

```
           G            |D/F#         |Em7          |A7          |
           Bye,          bye,           self      respect.

           G             |D/F#        |Em7          |A7          |
             I haven't had much of it since  you left.
```

```
G              | D/F♯          | Em7            | A7          |
I                missed          out   on the best            of

Cadd9          |               |                |             |
you.
```

Verse 5

```
G        Am7/D        | Gmaj7      Am7/D      |
         Someday I               will find   the se-

G        Am7/D        | C          B11        |
cret        to your social   chemistry,

G        Am7/D             | Gmaj7     Am7/D    |
                   then I'll print it    on    a tee-

G     Am7/D           | C         B11              |
 shirt          and it'll make you want to be with me.

Em7      Em/D♯   Em7/D  |                        |
            And if I       wear it past your work,

 Am7   G/B      Am7
| /  /    /  /     | /    /    /    /    |

Em7      Em/D♯     Em7/D |                |
         you'll see other           guys are jerks.

 Am7   G/B  Am7
| /  /    /  /     | /    /    /    /    |

Em7      Em/D♯      Em7/D |               |
         Much like pher  -  omones for flies,

 Am7   G/B  Am7
| /  /    /  /     | /    /    /    /    |

Em7      Em/D♯   Em7/D  |                 |
            you will       not avoid my eyes.

 Am7   G/B  Am7
| /  /    /  /     | /    /    /    /    |
```

Chorus 3

```
G        G/F♯        | Cadd9      A7          |
There's a lot I will never        do.
```

```
G           D/F#           | Cadd9        A7          |
Some fantastic, I know  it's           true,        but

G       G/F#                | Cadd9   A7             |
not as much as my want to         be with

Cadd9                      |                         |
you.
```

Bridge

```
G                   | D/F#              | Em7              | A7          |
Bye,                 bye,                 self       respect.

G                     | D/F#            | Em7              | A7          |
  I haven't had much of it since  you left.

G                     | D/F#            | Em7              | A7          |
I                      missed             out     on the best             of

Cadd9               |                 |
you.

G                   | D/F#              | Em7              | A7          |
Bye,                 bye,                 self       respect.

G                     | D/F#            | Em7              | A7          |
  I haven't had much of it since  you left.

G                     | D/F#            | Em7              | A7          |
I                      missed             out     on the best             of

Cadd9               |                 |                  |             |
you.
```

Coda

```
Cadd9               |                 |                  |             |
Bye                  bye.

                    |                 |                  |             |
Bye                  bye.

                    |                 |                  |             |
Bye                  bye.

     G
|    /     /     /     /     ||
```

One Week

Words and Music by
ED ROBERTSON

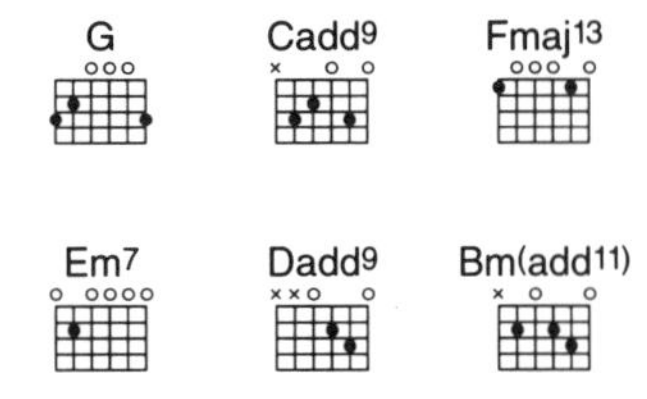

♩ = 112 Capo at 2nd fret

Chorus 1 4/4

```
           |G                                  Cadd9      |
It's been one week since you looked at me,

G                                     Cadd9              |
cocked you head to one side  and said 'I'm angry.'

G                              Cadd9                     |
Five days since you laughed at me, saying

G                            Cadd9                       |
'Get that together, come back and see me.'

G                              Cadd9                     |
Three days since the living room.   I

G                               Cadd9                    |
realized it's all my fault,but couldn't tell you.

G                                    Cadd9               |
Yesterday you'd forgiven me,         but it'll

G                      Fmaj13                            |
still be two days till I say  I'm sorry.
```

Verse 1

```
G                                 Cadd9                  |
Hold it now and watch the hoodwink as I make you

G                                     Cadd9              |
stop, think. You'll think you're looking at Aquaman
```

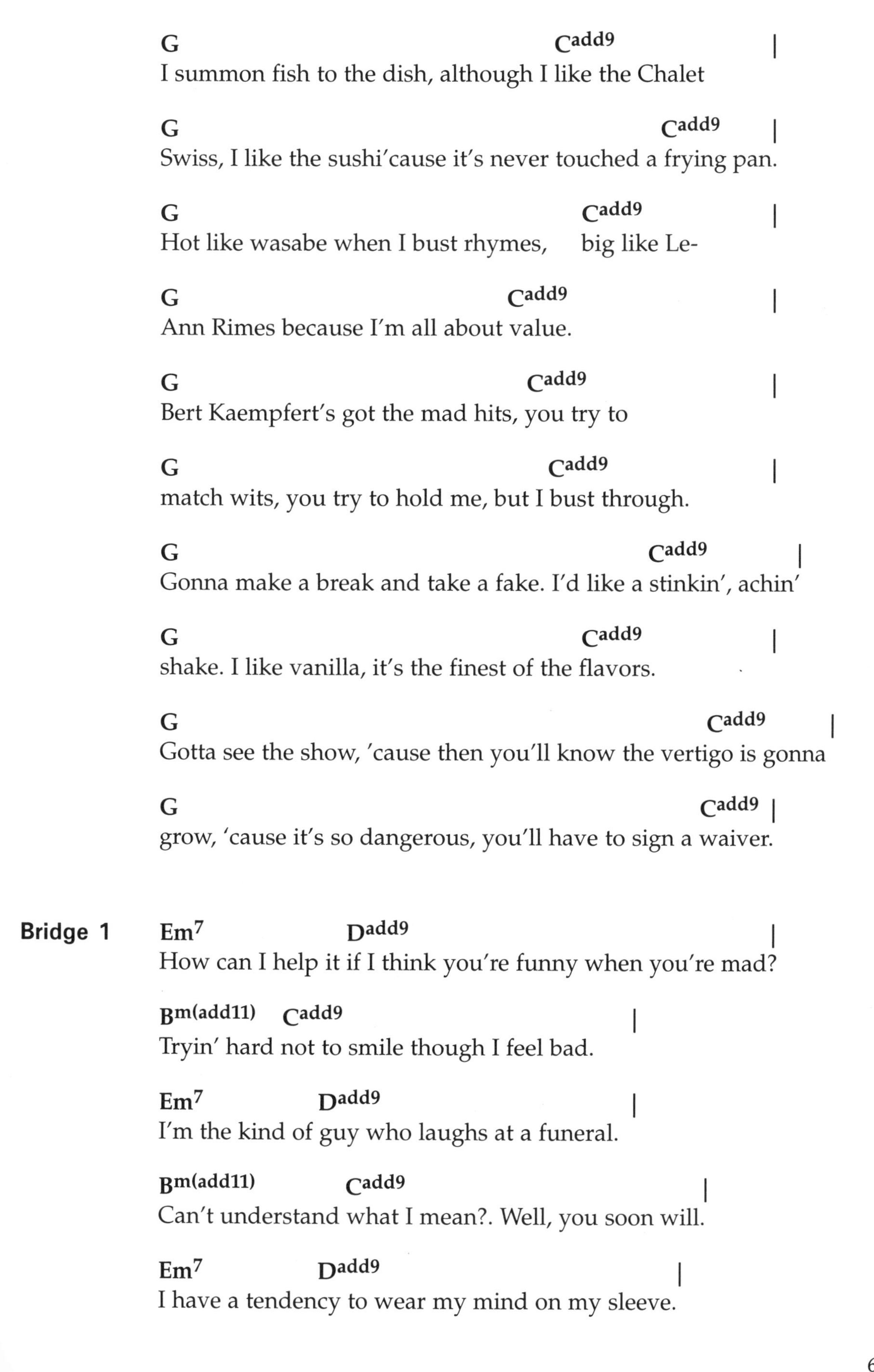

G Cadd9 |
I summon fish to the dish, although I like the Chalet

G Cadd9 |
Swiss, I like the sushi'cause it's never touched a frying pan.

G Cadd9 |
Hot like wasabe when I bust rhymes, big like Le-

G Cadd9 |
Ann Rimes because I'm all about value.

G Cadd9 |
Bert Kaempfert's got the mad hits, you try to

G Cadd9 |
match wits, you try to hold me, but I bust through.

G Cadd9 |
Gonna make a break and take a fake. I'd like a stinkin', achin'

G Cadd9 |
shake. I like vanilla, it's the finest of the flavors.

G Cadd9 |
Gotta see the show, 'cause then you'll know the vertigo is gonna

G Cadd9 |
grow, 'cause it's so dangerous, you'll have to sign a waiver.

Bridge 1

Em7 Dadd9 |
How can I help it if I think you're funny when you're mad?

Bm(add11) Cadd9 |
Tryin' hard not to smile though I feel bad.

Em7 Dadd9 |
I'm the kind of guy who laughs at a funeral.

Bm(add11) Cadd9 |
Can't understand what I mean?. Well, you soon will.

Em7 Dadd9 |
I have a tendency to wear my mind on my sleeve.

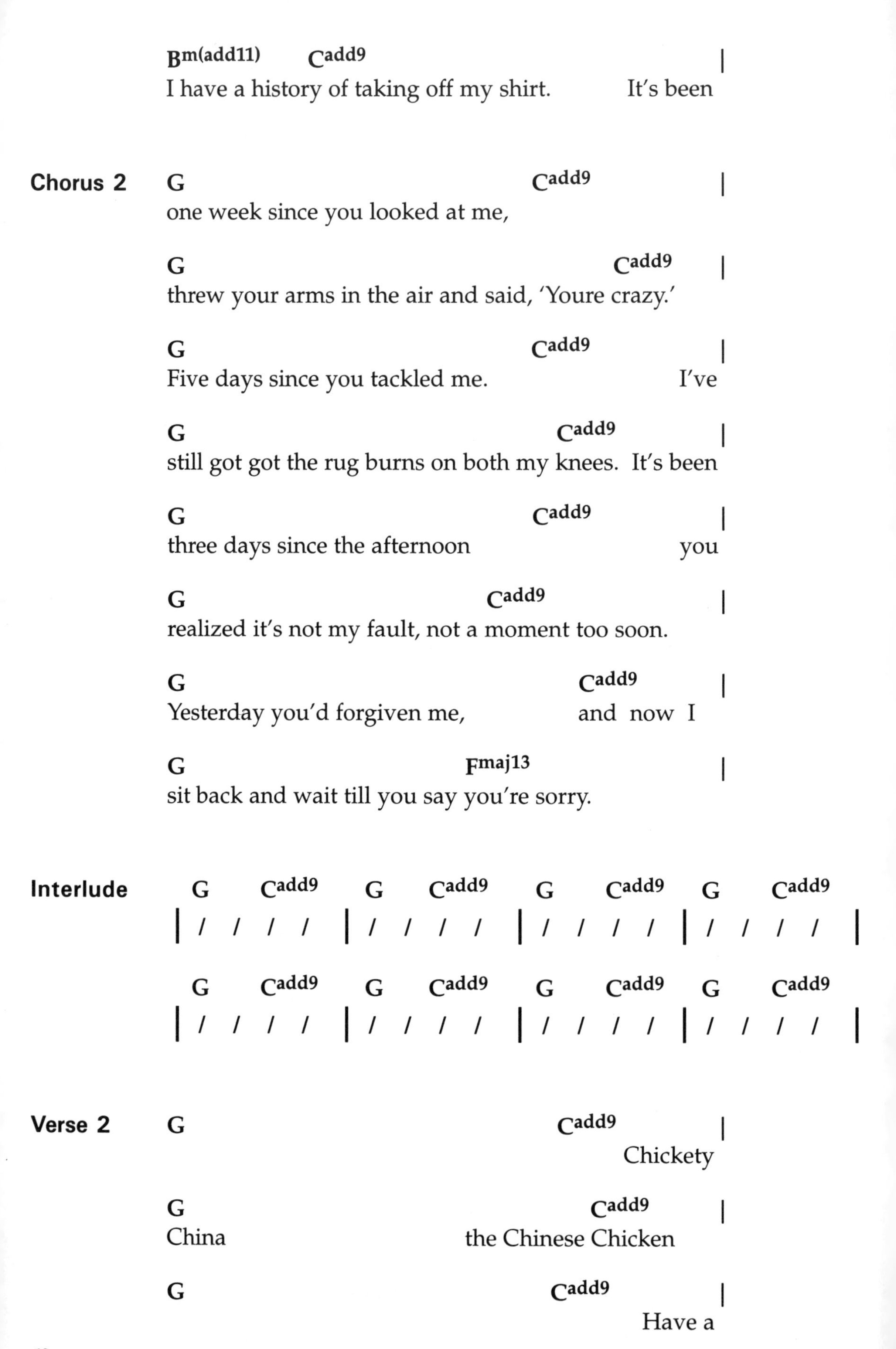
Bm(add11) Cadd9
I have a history of taking off my shirt. It's been
Chorus 2
G Cadd9
one week since you looked at me,
G Cadd9
threw your arms in the air and said, 'Youre crazy.'
G Cadd9
Five days since you tackled me. I've
G Cadd9
still got got the rug burns on both my knees. It's been
G Cadd9
three days since the afternoon you
G Cadd9
realized it's not my fault, not a moment too soon.
G Cadd9
Yesterday you'd forgiven me, and now I
G Fmaj13
sit back and wait till you say you're sorry.
Interlude
G Cadd9 G Cadd9 G Cadd9 G Cadd9
| / / / / | / / / / | / / / / | / / / / |
G Cadd9 G Cadd9 G Cadd9 G Cadd9
| / / / / | / / / / | / / / / | / / / / |
Verse 2
G Cadd9
Chickety
G Cadd9
China the Chinese Chicken
G Cadd9
Have a

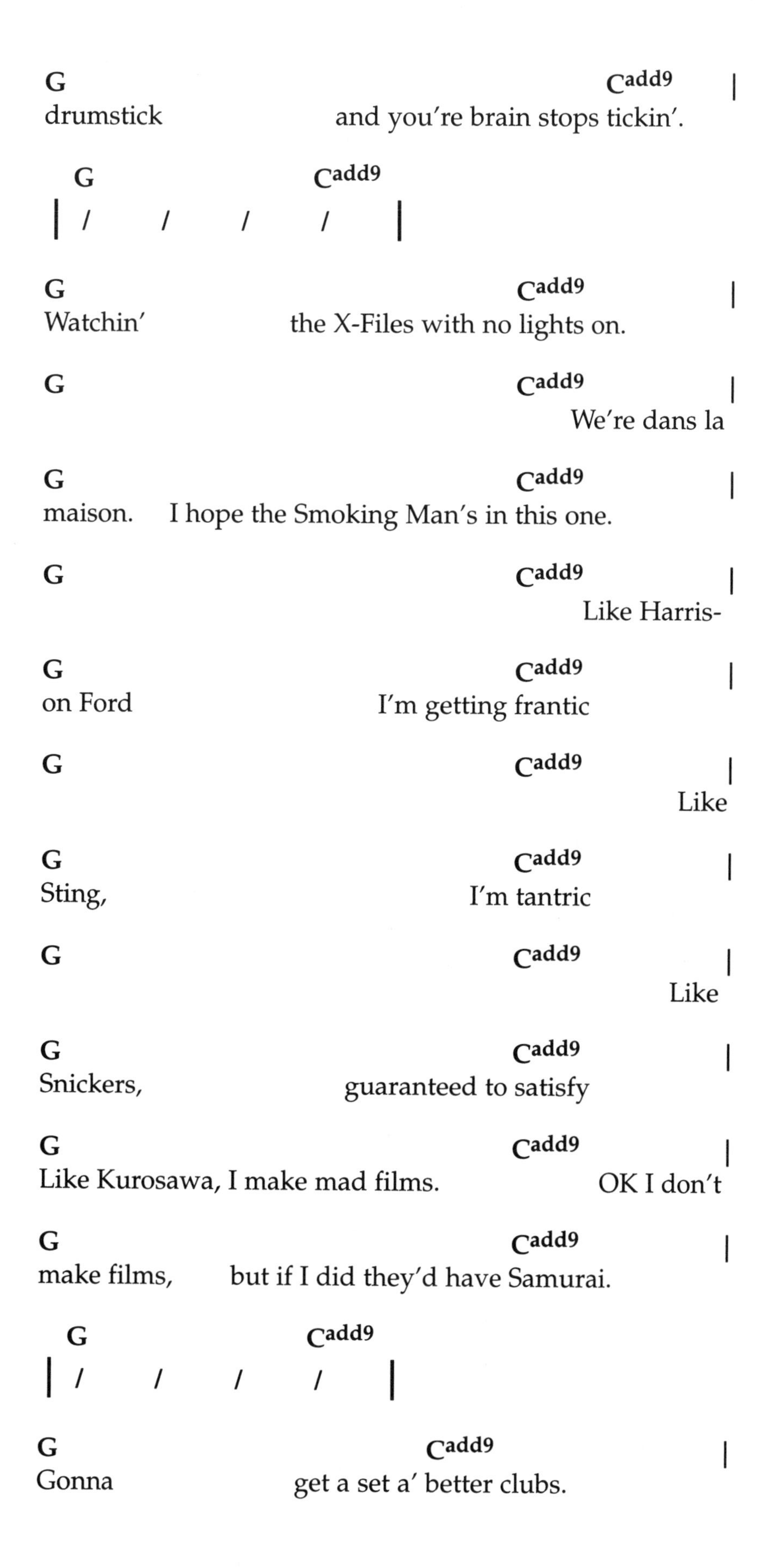
G Cadd9
drumstick and you're brain stops tickin'.
G Cadd9
G Cadd9
Watchin' the X-Files with no lights on.
G Cadd9
We're dans la
G Cadd9
maison. I hope the Smoking Man's in this one.
G Cadd9
Like Harris-
G Cadd9
on Ford I'm getting frantic
G Cadd9
Like
G Cadd9
Sting, I'm tantric
G Cadd9
Like
G Cadd9
Snickers, guaranteed to satisfy
G Cadd9
Like Kurosawa, I make mad films. OK I don't
G Cadd9
make films, but if I did they'd have Samurai.
G Cadd9
G Cadd9
Gonna get a set a' better clubs.

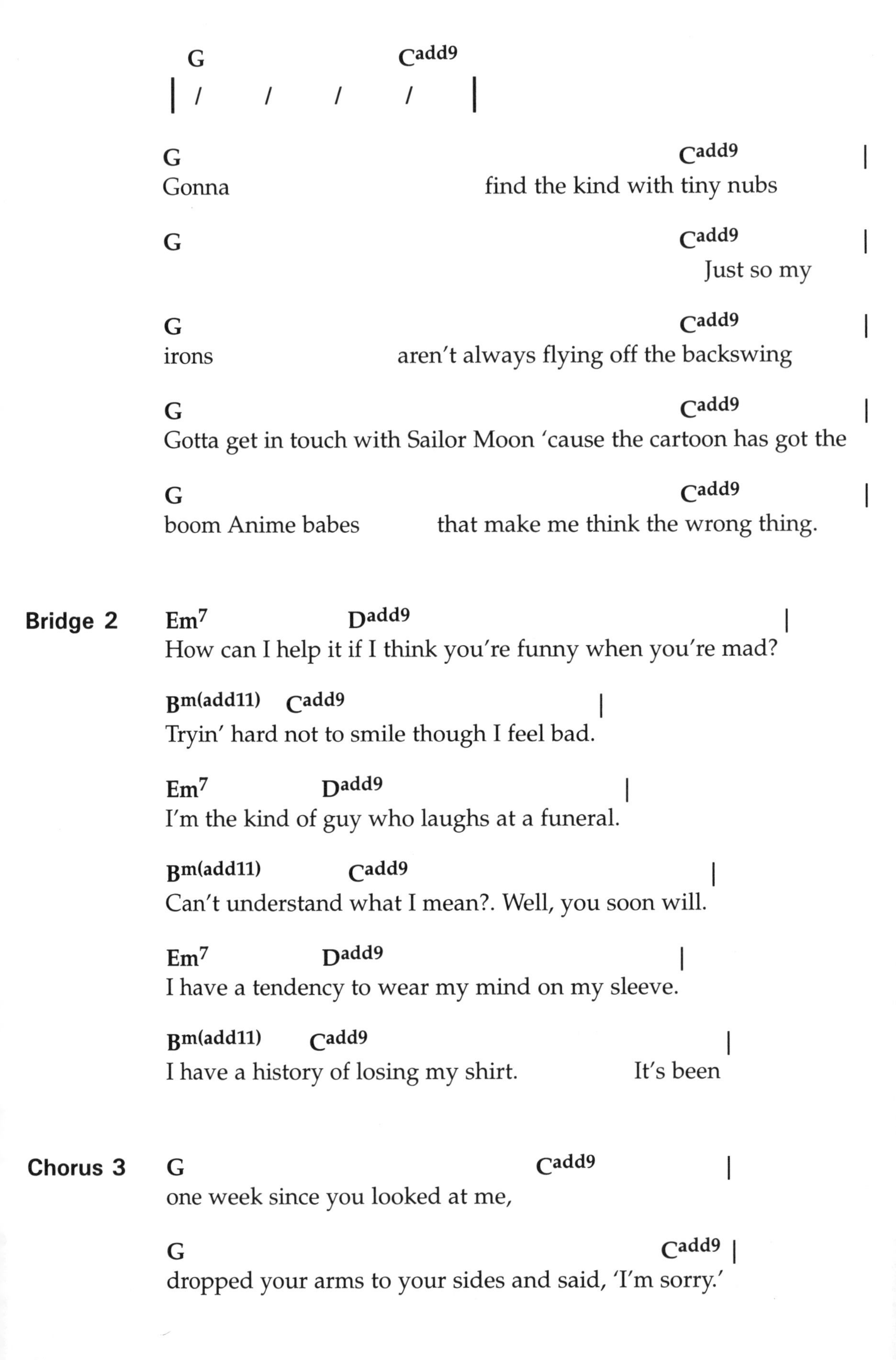

G C^{add9}
| / / / / |

G C^{add9} |
Gonna find the kind with tiny nubs

G C^{add9} |
Just so my

G C^{add9} |
irons aren't always flying off the backswing

G C^{add9} |
Gotta get in touch with Sailor Moon 'cause the cartoon has got the

G C^{add9} |
boom Anime babes that make me think the wrong thing.

Bridge 2

Em^7 D^{add9} |
How can I help it if I think you're funny when you're mad?

B$^{m(add11)}$ C^{add9} |
Tryin' hard not to smile though I feel bad.

Em^7 D^{add9} |
I'm the kind of guy who laughs at a funeral.

B$^{m(add11)}$ C^{add9} |
Can't understand what I mean?. Well, you soon will.

Em^7 D^{add9} |
I have a tendency to wear my mind on my sleeve.

B$^{m(add11)}$ C^{add9} |
I have a history of losing my shirt. It's been

Chorus 3

G C^{add9} |
one week since you looked at me,

G C^{add9} |
dropped your arms to your sides and said, 'I'm sorry.'

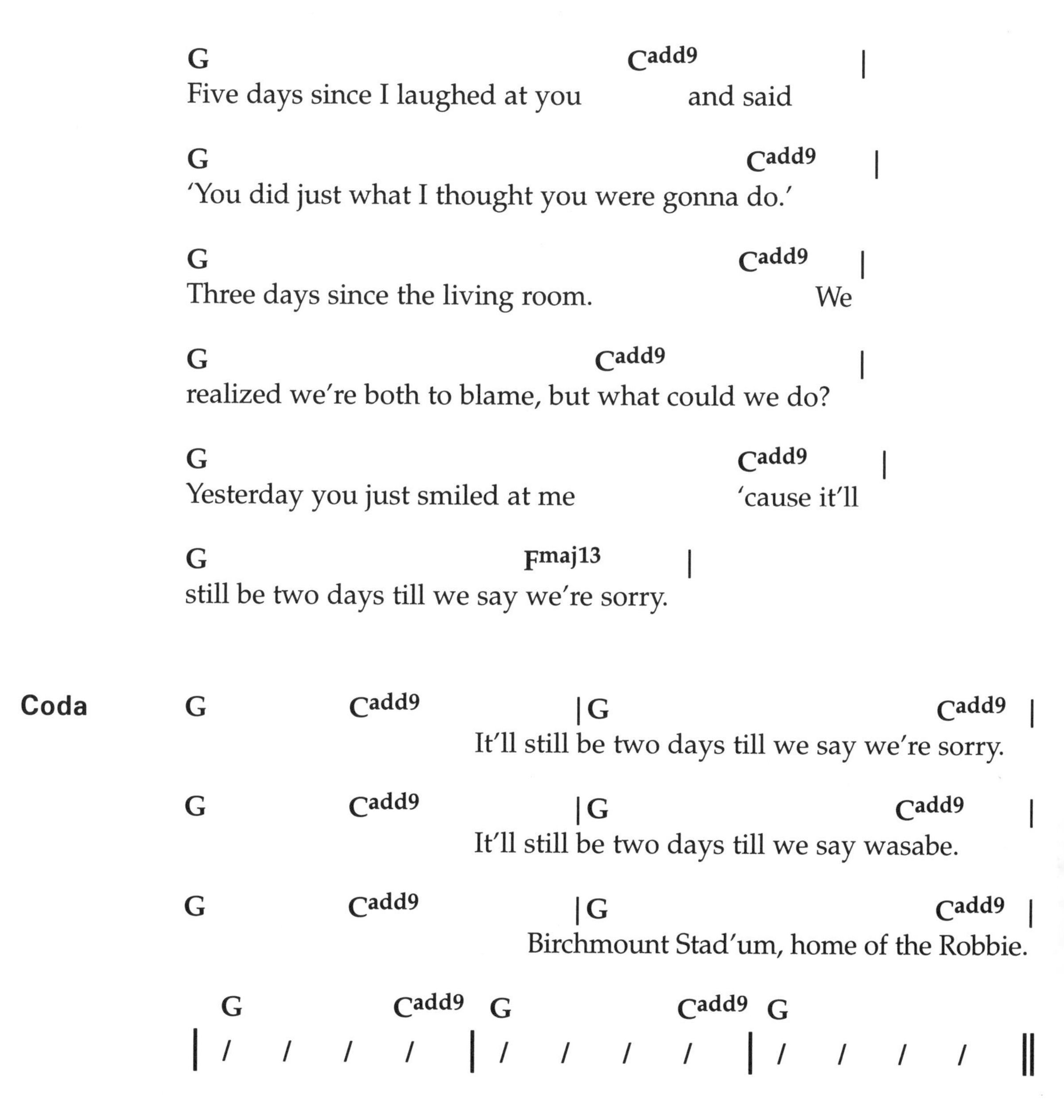
G Cadd9 |
Five days since I laughed at you and said
G Cadd9 |
'You did just what I thought you were gonna do.'
G Cadd9 |
Three days since the living room. We
G Cadd9 |
realized we're both to blame, but what could we do?
G Cadd9 |
Yesterday you just smiled at me 'cause it'll
G Fmaj13 |
still be two days till we say we're sorry.
Coda
G Cadd9 |G Cadd9 |
It'll still be two days till we say we're sorry.
G Cadd9 |G Cadd9 |
It'll still be two days till we say wasabe.
G Cadd9 |G Cadd9 |
Birchmount Stad'um, home of the Robbie.
G Cadd9 G Cadd9 G
| / / / / | / / / / | / / / / ||

When You Dream

Words and Music by
STEVEN PAGE AND ED ROBERTSON

D A G Em

♩ = 120 Capo at 2nd fret

Intro 3/4 | | | |
With

Verse 1
D | |A | |
life just begun, my sleeping new son has

G | |D |A |
eyes that roll back in his head. They

D | |A | |
flutter and dart; he slows down his heart and

G | |D |A |
pictures a world past his bed.

Em | |A | |
It's hard to believe

Em | |A | |
as I watch you breathe.

Em | |A | |
Your mind drifts and weaves. When you

Chorus 1
D | | | |
dream, what do you dream about?

A | | | |
When you

D | | | |
dream what do you dream about?

A | | | |
Do you

Em | |G | |
dream about music or mathematics, or

D | |A | |
planets too far for the eye? Do you

Em | |G | |
dream about Jesus or quantum mechanics, or

D | |A | |
angels who sing lullabies? His

Verse 2

D | |A | |
fontanel pulses with lives that he's lived, with

G | |D |A |
memories he'll learn to ignore and

D | |A | |
when it is closed, he already knows he's

G | |D |A |
forgotten all he knew before.

Em | |A | |
But when sleep sets in,

Em | |A | |
History begins

Em | |A | |
but the future will win. When you

Chorus 2

D | | | |
dream, what do you dream about?

A | | | |
When you

D | | | |
dream what do you dream about?

A | | | |
Are you

Em color or	black and white,	**G** Yiddish or English	or	
D languages	not yet conceived?	**A**	Are they	
Em silent or	boisterous?	**G** Do you hear noises	just	
D loud enough	to be perceived?	**A**	His	

Chorus 3

Em Do you hear	Del Shannon's	**G** 'Runaway'	playing on
D transistor	radio	**A** waves?	With so
Em little	experience, your	**G** mind not yet	cognizant, are
D you wise	beyond your few	**A** days?	When you
D dream,		what do you dream	about?
Em		**A**	When you
D dream,			what do you dream a-
Em bout?		**A**	When you

Coda

D dream,		what do you dream	about?
Em		**A**	When you

(repeat Coda ad lib to fade)

Wrap Your Arms Around Me

Words and Music by
JIM CREEGGAN, STEVEN PAGE AND ED ROBERTSON

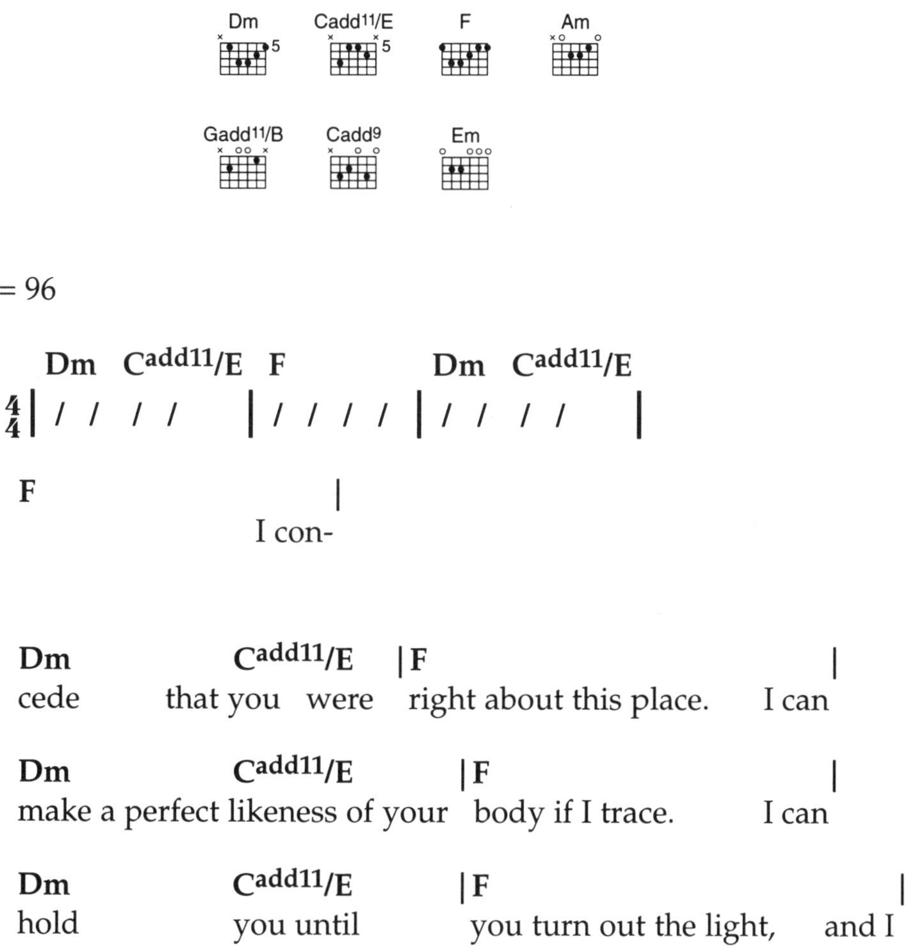

Dm Cadd11/E | F |
can't see.

Dm Cadd11/E F Dm Cadd11/E
| / / / / | / / / / | / / / / |

F |
Do you

Verse 2

Dm Cadd11/E | F |
believe that we are all innately good? Do you

```
Dm              Cadd11/E        |F                                    |
think that you would love me 'til tomorrow if you could? Would you

Dm              Cadd11/E        |F                          |
please                      turn  down the radio       so we

Dm              Cadd11/E        |F                         |
can speak?                                          I put my
```

Chorus 1

```
Am           Gadd11/B       |Cadd9          Em                |
hands around your neck. You wrap your arms around me. I put my

Am           Gadd11/B       |Cadd9          Em                |
hands around your neck. You wrap your arms around me. I put my

Am           Gadd11/B       |Cadd9          Em                |
hands around your neck. You wrap your arms around me. I put my

Am           Gadd11/B       |Cadd9          Em                |
hands around your neck. You wrap your arms around me.      I re-
```

Verse 3

```
Dm              Cadd11/E    |F                        |
gret                  every  time I raised my voice. And it

Dm               Cadd11/E       |F                     |
wouldn't be that bright of me to say I had no choice. I can

Dm              Cadd11/E        |F                        |
kiss                      your  eyes, your hair, your neck  'til

Dm              Cadd11/E        |F                     |
we forget.

 Dm  Cadd11/E  F
| / / / /    | / / / / |

 Dm  Cadd11/E  F          Dm  Cadd11/E
| / / / /    | / / / / | / / / /     |

F                 |
            I con-
```

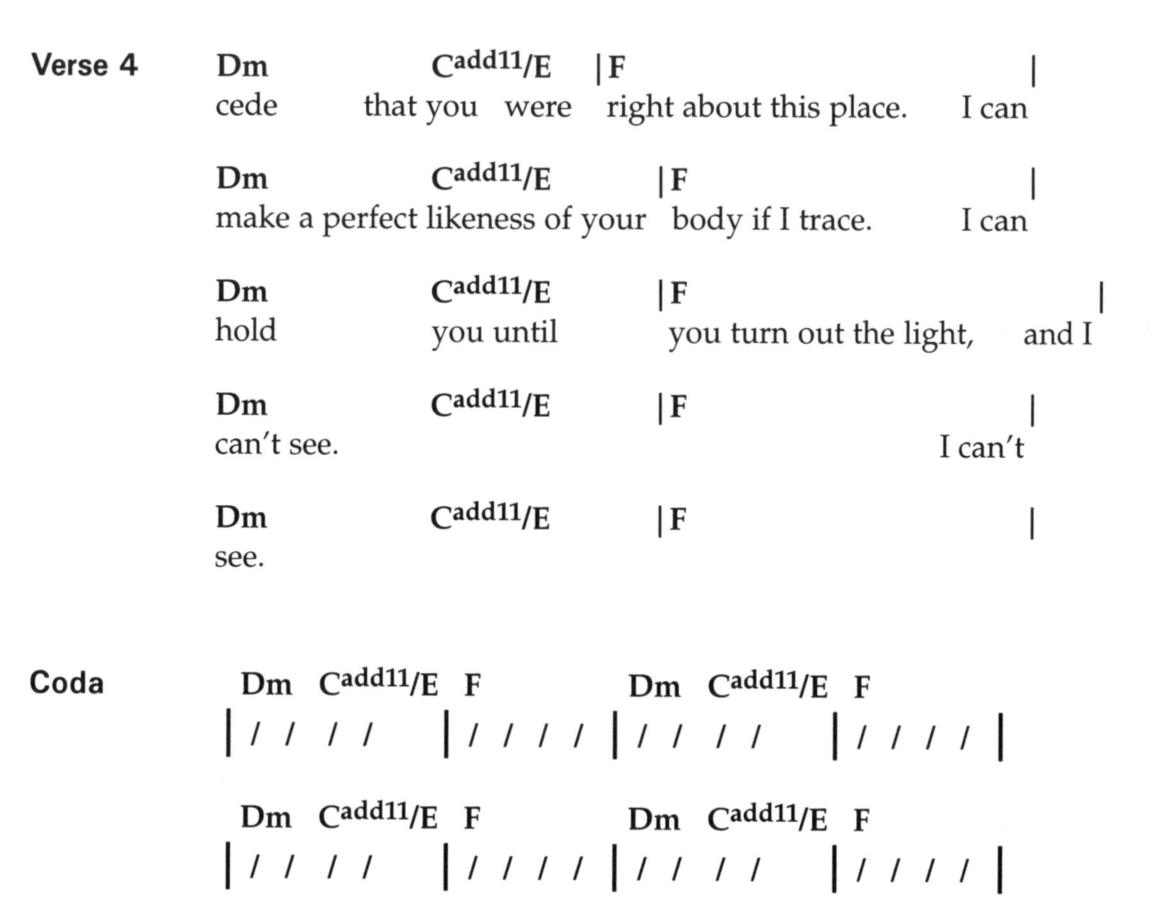

Coda

Dm Cadd11/E F Dm Cadd11/E F
| / / / / | / / / / | / / / / | / / / / |

Dm Cadd11/E F Dm Cadd11/E F
| / / / / | / / / / | / / / / | / / / / |

(Repeat Coda to fade)

Told You So

Words and Music by
STEVEN PAGE AND ED ROBERTSON

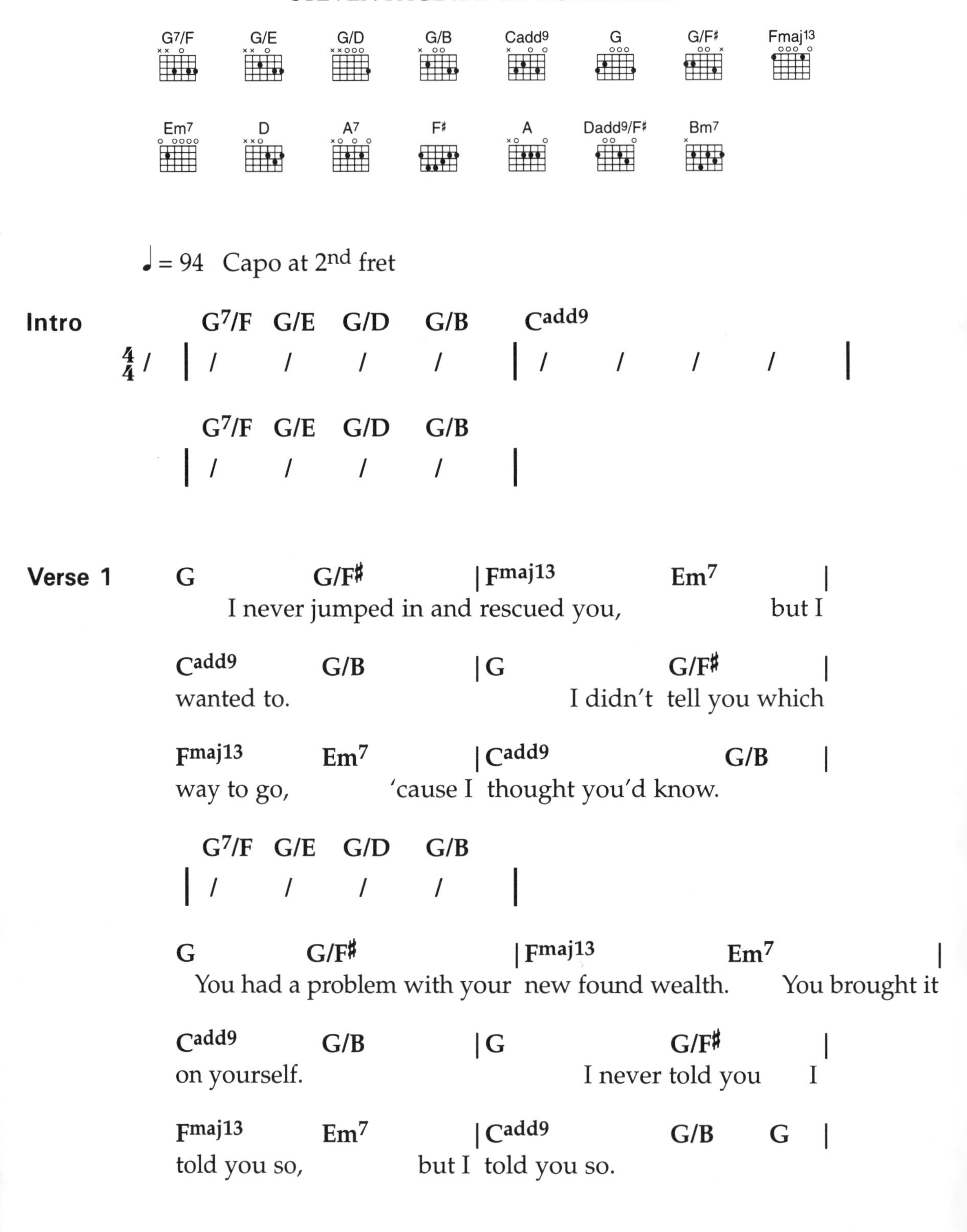

Chorus 1

G7/F G/E G/D G/B | Cadd9 |
Have to let it go. It's

G7/F G/E G/D G/B | Cadd9 D |
time to let it go. Now I

Em7 A7 | D G G/F# |
can't believe it took so

Em7 A7 | D G G/F# |
long to leave. Perhaps one

Em7 G/B | A7 G |
day I'll grieve, or I

Cadd9 | G7/F G/E G/D G/B |
never will.

Verse 2

G G/F# | Fmaj13 Em7 |
I never told you I a-greed with you, I don't

Cadd9 G/B | G G/F# |
think I do. I wasn't sure quite what the

Fmaj13 Em7 | Cadd9 G/B |
whole thing meant but I'm glad you went.

G7/F G/E G/D G/B
| / / / / |

G G/F# | Fmaj13 Em7 |
I never thought that it could be painless, but it

Cadd9 G/B | G G/F# |
is I guess. I had myself fooled into

Fmaj13 Em7 | Cadd9 G/B G |
needing you. Did I fool you too?

Chorus 2

G7/F G/E G/D G/B | Cadd9 |
Have to let it go. It's

G7/F G/E G/D G/B | Cadd9 D |
time to let it go. Now I

Em7 A7 | D G G/F# |
can't believe it took so

Em7 A7 | D G G/F# |
long to leave. Perhaps one

Em7 G/B | A7 G |
day I'll grieve, or I

Bridge

F# | G |
never will. A viral infection that can in-

D | A |
cubate for years,

F# | G |
caused by affection fallen deep

D | A |
into arrears.

F# | G |
No medication to procure

D | Em7 |
makes me pure. There's no cure,

Dadd9/F# |
I am sure.

Verse 3

G G/F# | Fmaj13 Em7 |
I never mentioned how I've prayed for you, and now I've

Cadd9 G/B | G G/F# |
paid for you. I never said that I would

Fmaj13 Em7 | Cadd9 G/B G |
wait for you. It's too late for you.

Chorus 3

G7/F G/E G/D G/B | Cadd9 |
Have to let it go. It's

G7/F G/E G/D G/B | Cadd9 D |
time to let it go. Now I

Em7 A7 | D G G/F♯ |
can't believe it took so

Em7 A7 | D G G/F♯ |
long to leave. Perhaps one

Em7 G/B | A7 G |
day I'll grieve, or I

Em7 Bm7 | A7 G |
never will, or I

Em7 A7 | D G |
never will. or I

Em7 A7 | D G |
never will. I never

Em7 A7 | D G |
will. Oh I

Em7 A7 | D G |
ee I, oh I

Em7 A7 | D G |
ee I, I never

Em7 A7 | D G |
will. I never

Em7 A7 | D G |
will. Oh I

Coda

Em7 A7 | D G |
ee I ee I. Oh, I

(repeat Coda to fade)

What A Good Boy

Words and Music by
STEVEN PAGE AND ED ROBERTSON

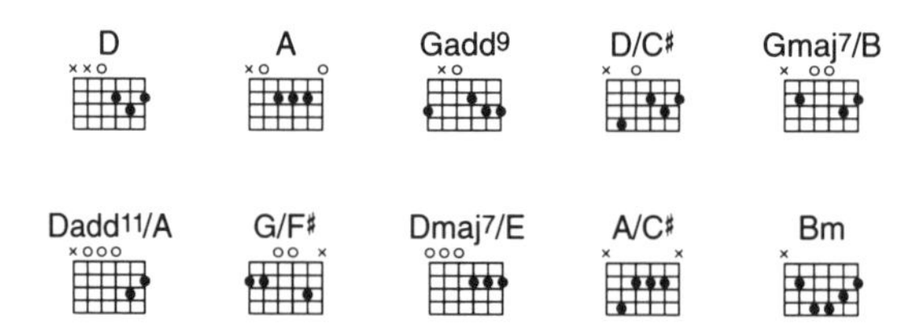

♩ = 96 Capo at 5th fret

Verse 1

4/4 **D** | **A** |
When I was born they looked at me and said,

Gadd9 | |
'What a good boy, what a smart boy, what a strong boy.'

D | **A** |
When you were born they looked at you and said,

Gadd9 | |
'What a good girl, what a smart girl, what a pretty girl.'

Verse 2

D | **A** |
We've got these chains hangin' 'round our

Gadd9 | |
necks, people want to strangle us with them before we take our first breath.

D | **A** |
Afraid of change, 'fraid of staying the same,

Gadd9 | |
When temptation calls, we just look away.

Chorus 1

D | **A** |
This name is the hairshirt I wear, and this hair-

G^add9 | |
shirt is woven from your brown hair.

D |A |
This song is the cross that I bear, bear with

G^add9 | |
me, bear with me, bear with me. Be with me tonight.

D D/C♯ G^maj7/B D^add11/A G^add9 | |
I know that it isn't right,

D D/C♯ G^maj7/B D^add11/A G^add9 | |
but be with me tonight.

Verse 3

D |A |
I go to school, I write exams.

G^add9 | |
If I pass, if I fail, if I drop out, does anyone give a damn?

D |A |
And if they do, they'll soon forget,

G^add9 | |
'Cause it won't take much for me to show my life ain't over yet.

Verse 4

D |A |
I wake up scared, I wake up strange,

G^add9 | |
I wake up wond'ring of anything in my life is ever gonna change.

D |A |
I wake up scared, I wake up

Bm |G^add9 |
strange and ev'rything around me stays the

Chorus 2

D |A |
same. This name is the hairshirt I wear, and this hair-

Gadd9 | |
shirt is woven from your brown hair.

D |A |
This song is the cross that I bear, bear with

Gadd9 | |
me, bear with me, bear with me. Be with me tonight.

D D/C♯ Gmaj7/B Dadd11/A Gadd9 | |
I know that it isn't right,

D D/C♯ Gmaj7/B Dadd11/A Gadd9
| / / / / | / / / / |

D D/C♯ Gmaj7/B Dadd11/A Gadd9 | |
but be with me tonight.

Verse 5

D |A |
I couldn't tell you that I was wrong,

Gadd9 | |
chickened out, grabbed a pen and a paper, sat down and I wrote this song

D |A |
I couldn't tell you that you were right,

Gadd9 | |
so instead I looked in the mirror, watched T.V., laid awake all night.

Verse 6

D |A |
We've got these chains hangin' 'round our

Gadd9 | |
necks, people want to strangle us with them before we take our first breath.

D |A |
Afraid of change, 'fraid of staying the same,

Gadd9 | |
When temptation calls, we just look away.

Chorus 3

```
D                              |A                        |
        Oh, this name is the hairshirt I wear,      and this hair-

Gadd9                          |                         |
shirt        is woven from, is woven from, is woven from hair.

D                              |A                        |
This song          is the cross that I bear,        bear it with

Gadd9                          |                         |
me,     bear with me, bear with me.       Be with me tonight.
```

Verse 7

```
D                              |A                        |
When I was born                  they looked at me and said,

Gadd9                          |                         |
'What a good boy,      what a smart boy,  what a strong boy.'

D                              |A                        |
When you were born               they looked at you and said,

Gadd9                          |                              |
'What a good girl,     what a smart girl,  what a pretty girl.' Hey

D                              ||
yeah.
```

Who Needs Sleep?

Words and Music by
STEVEN PAGE AND ED ROBERTSON

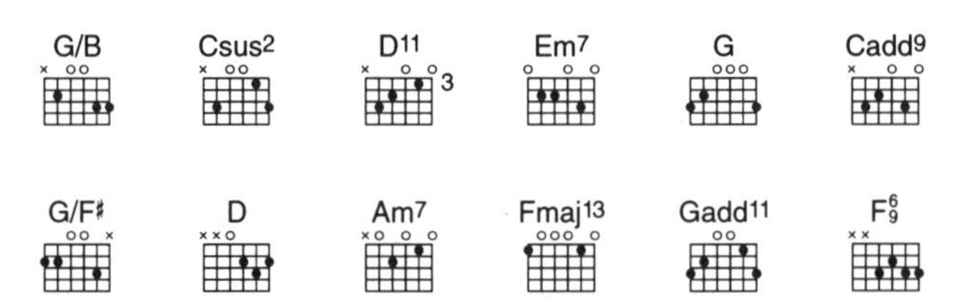

♩ = 112

Intro

```
    G/B  Csus2            G/B  Csus2
4/4| / / / / | / / / / | / / / / | / / / / |

    G/B  Csus2  D11  Em7  G/B  Csus2  D11  Em7
   | / / / / | / / / / | / / / / | / / / / |
```

Verse 1

```
G          Cadd9      |G/F♯    G     |          Cadd9   |G/F♯   G        |
Now I lay me down,  not    to sleep. I just get tangled  in  the sheets.

Em7      Cadd9        |D       Em7 |          Cadd9   |D       G    |
I swim in sweat three inches   deep. I just lay back and claim defeat.

 G/B  Cadd9  D11  Em7  G/B  Cadd9  D11  Em7
| / / / / | / / / / | / / / / | / / / / |
```

Verse 2

```
G       Cadd9   |G/F♯  G      |           Cadd9  |G/F♯         G      |
Chapter read and lesson learned. I turned the lights off while she burned

Em7           Cadd9   |D      Em7 |            Cadd9  |D  G         |
So while she's three hundred degrees, I throw the sheets off and I freeze.

Am7        Fmaj13                           |
Lids down, I count sheep, I count

Gadd11        Am7             Am7/G         |
heartbeats. The only thing that counts is that I
```

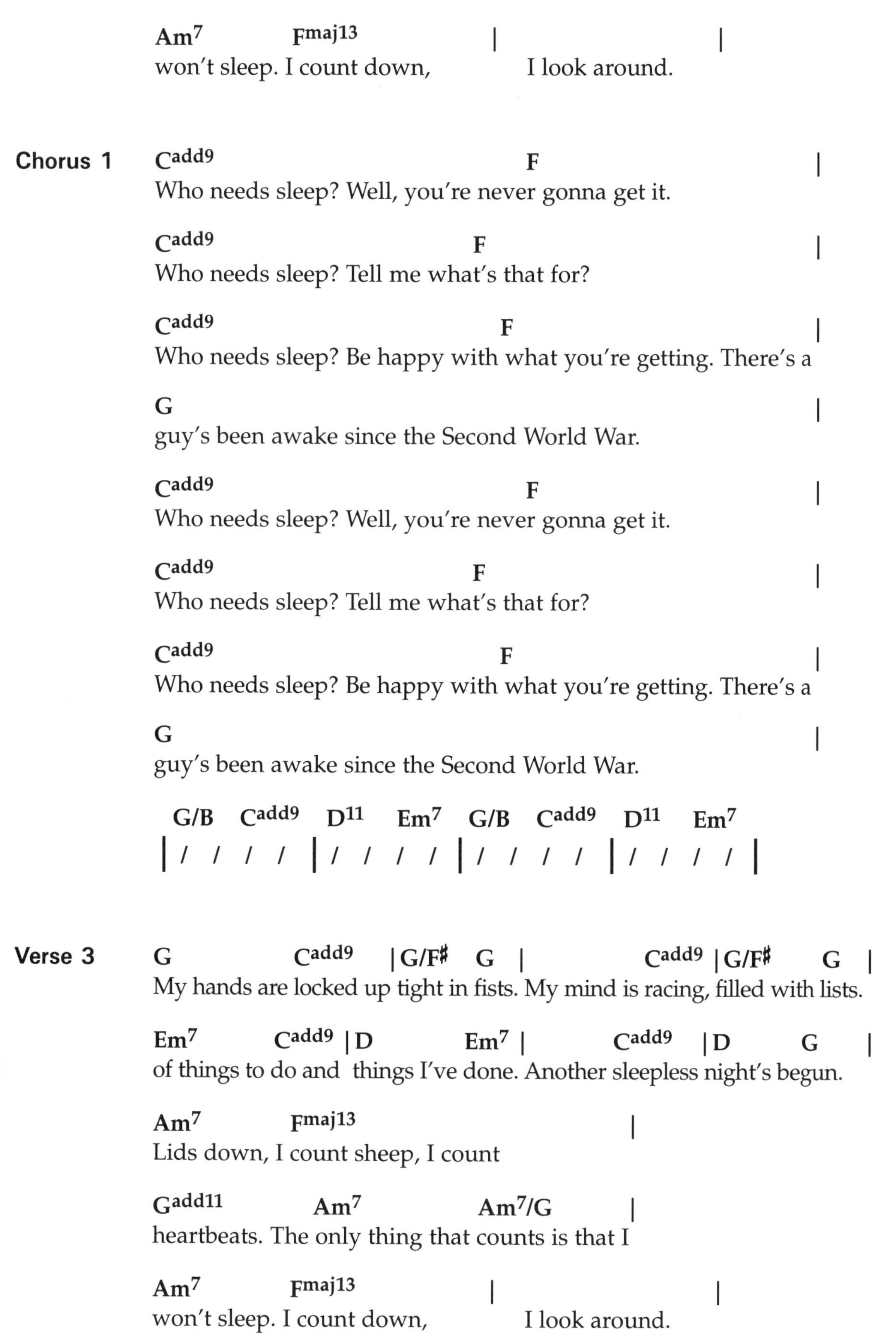
Am7 Fmaj13 | |
won't sleep. I count down, I look around.
Chorus 1
Cadd9 F |
Who needs sleep? Well, you're never gonna get it.
Cadd9 F |
Who needs sleep? Tell me what's that for?
Cadd9 F |
Who needs sleep? Be happy with what you're getting. There's a
G |
guy's been awake since the Second World War.
Cadd9 F |
Who needs sleep? Well, you're never gonna get it.
Cadd9 F |
Who needs sleep? Tell me what's that for?
Cadd9 F |
Who needs sleep? Be happy with what you're getting. There's a
G |
guy's been awake since the Second World War.
G/B Cadd9 D11 Em7 G/B Cadd9 D11 Em7
| / / / / | / / / / | / / / / | / / / / |
Verse 3
G Cadd9 | G/F# G | Cadd9 | G/F# G |
My hands are locked up tight in fists. My mind is racing, filled with lists.
Em7 Cadd9 | D Em7 | Cadd9 | D G |
of things to do and things I've done. Another sleepless night's begun.
Am7 Fmaj13 |
Lids down, I count sheep, I count
Gadd11 Am7 Am7/G |
heartbeats. The only thing that counts is that I
Am7 Fmaj13 | |
won't sleep. I count down, I look around.

Chorus 2

C^add9 F |
Who needs sleep? Well, you're never gonna get it.

C^add9 F |
Who needs sleep? Tell me what's that for?

C^add9 F |
Who needs sleep? Be happy with what you're getting. There's a

G |
guy's been awake since the Second World War.

C^add9 F |
Who needs sleep? Well, you're never gonna get it.

C^add9 F |
Who needs sleep? Tell me what's that for?

C^add9 F |
Who needs sleep? Be happy with what you're getting. There's a

G |
guy's been awake since the Second World War. There's

Bridge

C^add9 | G |
so much joy in life, so many pleasures all around, but the

C^add9 | G |
pleasure of insomnia is one I've never found. With

C^add9 | G |
all life has to offer, there's so much to be enjoyed, but the

C^add9 | G |
pleasures of insomnia are ones I can't avoid.

Am7 Fmaj13 |
Lids down, I count sheep, I count

Gadd11 Am7 Am7/G |
heartbeats. The only thing that counts is that I

Am7 Fmaj13 | |
won't sleep. I count down, I look around. *Hala hala hala.*

Chorus 3

```
Cadd9                                F                     |
Who needs sleep? Well, you're never gonna get it.

Cadd9                          F                           |
Who needs sleep? Tell me what's that for?

Cadd9                             F                        |
Who needs sleep? Be happy with what you're getting. There's a

G                                                          |
guy's been awake since the Second World War.

Cadd9                                F                     |
Who needs sleep? Well, you're never gonna get it.

Cadd9                          F                           |
Who needs sleep? Tell me what's that for?

Cadd9                             F                        |
Who needs sleep? Be happy with what you're getting. There's a

G                                                          |
guy's been awake since the Second World War.
```

(Play Chorus three times)

Coda

```
  Cadd9
| /   /   /   /  ||
```

NOTES